Ac yn olaf ...
myfyrdodau canol oed

Aled Sam

Argraffiad cyntaf: 2017

ⓗ cyhoeddiad: Gwasg Carreg Gwalch 2017

Rhif rhyngwladol: 978-1-84527-609-6

Cynllun clawr: Eleri Owen
Lluniau clawr: Keith Morris

Cyhoeddwyd cynnwys y gyfrol mewn gwahanol ysgrifau yn *Golwg*, cylchgrawn y mae Aled Sam yn cyfrannu'n wythnosol iddo.

Cyhoeddwyd gan Wasg Carreg Gwalch, 12 Iard yr Orsaf, Llanrwst, Cymru LL26 0EH
Ffôn: 01492 642031
e-bost: llyfrau@carreg-gwalch.com
lle ar y we: www.carreg-gwalch.com

Cydnabyddiaeth
Lluniau: Keith Morris
Lluniau ychwanegol drwy garedigrwydd Eisteddfod Genedlaethol Cymru

Cynnwys

Cyflwynaf y gyfrol hon i Alwyn a Moyra, fy rhieni,
a gyfrannodd gymaint i'r gyfrol hon
er nad oedd yr un o'r ddau wedi sylweddoli hynny.

Diolchiadau

Fe garwn i ddiolch i 'nheulu, Rhian a'r plant,
am gytuno i fod yn darged cyson;

i Sian Sutton o *Golwg* a welodd ryw fath o addewid yn
yr erthyglau cynnar yna, ac sy'n dal i roi briff
penagored i mi yn wythnosol;

ac i Myrddin a Nia yng Ngwasg Carreg Gwalch
am olygu a chyhoeddi'r gyfrol hon.

Fi yn y Barri ym Mehefin 1960

Pennod 1. Bywyd Personol

Abiws!

Ydych chi'n diodde o Abiws Priodasol? Ydi'ch gŵr, neu wraig, neu yn wir, bartner (edrychwch pa mor fodern a rhyddfrydol ydw i! Nid y snichyn cwynfanllyd ry'ch chi'n dychmygu i mi fod) – ta beth, ydyn nhw'n trefnu pethau ar eich cyfer chi, heb i chi ofyn?

Yn ddiweddar, mae fy ngwraig annwyl ('dwy flynedd ar hugain o briodas hapus a siriol' – dyna mae e'n ddweud fan hyn yn fy sgript ...) wedi bod yn trefnu tripiau i mi i'r feddygfa.

'Rwy 'di gwneud apwyntiad i ti, am ddeg bore 'ma.'

'Am ba reswm?'

'Ti byth yn gwybod. Y'ch chi ddynion yn gyndyn iawn o rannu'ch problemau â phobol eraill – falle feddyli di am rywbeth ar y ffordd draw. Gwranda, mae'n ddigon anodd cael apwyntiad y dyddie yma ... mae'n rhaid i ti fod un cam o flaen gofid. A 'ta beth, falle fydd y doctor yn sylwi ar rywbeth nad wyt ti wedi'i weld.'

'Wel, dim ond os weda i wrtho fe fod rhywbeth yn bod. Nid *chat-room* yw'r syrjeri. Mae'n rhaid bod rhywbeth yn bod yn gynta, nagoes e? A does dim.'

'Prawf gwaed 'te. Ma' mis 'di pasio ers yr un diwetha. Mae lot yn gallu digwydd mewn mis.'

A bant â fi unwaith eto. Rwy'n teimlo fel twyllwr. Yn gorfod meddwl am gwestiynau i ofyn i'r doctor: siarad am y rygbi, prawf pwysau gwaed, falle, 'jiw, ma'r tywydd yma 'di newid, yn'dyw e!' ac yn y blaen, tra bod y wraig adre yn yr atig, mwy na thebyg, yn sganio drwy 'mholisïau Siwrans Bywyd i.

Dychwelais adre.

'Wel?'

'Dim.'

'Beth? Dim byd?' Golwg o siom ben arall y bwrdd, cyn, 'O leia nawr ry'n ni'n gwybod. Cofia fod prawf PSA gen ti bnawn dydd Mawrth am ddau gyda Dr Metha.' Yn y gobaith falle ddaw 'na 'rywbeth' ar ôl yr apwyntiad hwnnw, siawns.

Rwy wedi sylwi yn ddiweddar fod ambell ŵr coll arall yn eistedd yng nghorneli tywyll yr ystafell aros. Sgwn i y'n nhw hefyd yn diodde o Abiws Priodasol? Ond gan ein bod ni, ddynion, yn methu siarad am ein problemau, fyddwn ni byth yn gwybod. Drato!

The Happy Couple! 1994

Beth ddigwyddodd i gydraddoldeb, gwedwch?

Mehefin 2016

Ges i fawr o gyfle i fod yn *sexist*. Fe ges i addysg smwddio dillad yn gynnar iawn dan lygad craff fy mam-gu, oedd yn dechnegol ddall. Roedd sut i hongian dillad ar y lein yn effeithiol yn wers werthfawr arall (fel capten sgwner, roedd ei dillad yn cael eu gosod i ddal cymaint o'r gwynt â phosib) yn y cyfnod pan oedd parch at drefn lein ddillad. 'Ww! shgwlwch ar lein ddillad honna!' Synnwyr cyffredin, meddech chi. Ydi, wrth gwrs – ond synnech chi faint sy heb 'i deall hi. Ar ben hynny, rwy wedi diodde wythnos yn nhanau uffern *Pryd o Sêr*, hyd yn oed, er mwyn gallu coginio i'r plant, pan nad yw'r Prif Gogydd adre. Ac wedi blynyddoedd o ddysgu sut i dacluso, rwy wedi trio a thrio darbwyllo fy mhlant a'r wraig fod yna rinwedd mewn rhoi pethau i gadw yn syth, fel eu bod nhw'n union lle ry'ch chi'n disgwyl iddyn nhw fod pan y'ch chi'n moyn nhw tro nesa.

Fe gewch chi glod a mawl am drefn a thŷ cymen, os y'ch chi'n fenyw. Ry'ch chi'n OCD neu'n baish os y'ch chi'n ddyn. Mae'r wraig yn amal yn dweud, gydag edmygedd (rwy'n credu?) 'ti cystal â menyw'. Mae'n beth da bod *un* ohonon ni yn.

Rwy'n teimlo weithiau fel Noa â llawn arch o anifeiliaid anystywallt (y teulu) yn ceisio llywio'r ffordd ar fôr tymhestlog o nicsys, fests, sanau unigol, tryncs gwlyb a hwdis o eiddo plant pobol eraill. Mae'n tŷ ni fel *maelstrom* o floeddiadau o bob cyfeiriad, yn holi lle mae hyn a'r llall. Allweddi, pants, bagiau o bob disgrifiad, llythyron pwysig, ac yn y blaen. Tomennydd o ddillad yn nghanol lloriau, lle 'sda nhw ddim busnes i fod, fel tae eu perchnogion wedi'u sugno allan o'u dillad, i ryw long ofod gan fodau arallfydol. Mae rhai o'm teulu yn llawer rhy 'greadigol' i drafferthu â manion fel tacluso. 'Ie! Mewn munud!' yw'r gri yn gyson. Mae gan rai pobol jar i ddal ceiniogau. Petai gen i jar i gynilo'r holl 'funudau' hyn, fe fysen i wedi byw ymhell tu hwnt i oes Methiwsala erbyn hyn.

Tra oeddwn i'n ffilmio yng nghegin Odettes, tŷ bwyta'r cogydd Bryn Williams yn Llundain, fe ddywedodd e mai'r job bwysica yn y gegin i gyd oedd golchi'r llestri. Wel, Bryn, mae hynny wedi gwneud i mi deimlo'n bwysig iawn, ond â phob parch, rwtsh yw e. Fydd dim cyfres o *Cegin Bryn* gyda Tom, y golchwr llestri, greden i. Ond fel un sydd â'i ddwylo yn gyson mewn sinc llawn – heb unrhyw ddiolch, cofiwch – gallaf ddeall ei safbwynt. Allwch chi, neu a ydych chi'n 'greadigol' hefyd?

Mae'r holl weithgareddau yma yn rhai rwy'n fwy na balch, yn yr oes oleuedig hon, i'w cyflawni. Fe fydden i'n hapusach o lawer petai gweddill fy nheulu yn hapus i wneud eu rhan hefyd. Fues i bant ym Mhatagonia am gyfnod o bump wythnos unwaith, dim ond i ddychwelyd i dŷ tywyll. Wedi holi pam oedd e mor dywyll: 'oedd y bylbs wedi mynd tra ro't ti bant'. Pump wythnos yn y tywyllwch? All dyn ddim codi 'i bants ei hun heb ateb i ofynion eraill? 'Dad! Pam nag yw'r printer yn gweithio?' 'Dyw'r llygoden ddim yn gweithio nawr!' A sôn am bants, fe hoffwn petawn i'n gallu ffindo par teidi, – drwy gyfres o 'wejis' (diolch i'w 'ffrindiau') mae 'mhlant i wedi 'mestyn y lastig ar bob un, bron, neu wedi rhoi 'u tinau drwyddyn nhw fel bod angen cortyn beinder arna i, bellach, i'w dala nhw lan.

Petai gen i fra, fe fyddwn yn ei losgi ...

Mae'r byd yn llawn syrpreisys, yn'dyw e. Wedi gwthio'r bad ma's i sawl cyfeiriad yn ystod fy ngyrfa, gallaf ddweud â'm llaw ar fy nghalon mai'r wythnos ddiwetha oedd y tro cynta i mi fod yn hanner menyw. Mae e'n swno fel agorawd i jôc am bantomeim anarferol, yn'dyw e? 'Pa ran oeddet ti, y top neu'r gwaelod?' Alla i ddim meddwl am unrhyw achlysur pryd bydde unrhyw un eisiau defnyddio'r ymadrodd 'hanner menyw' (ar wahân i mi yn y golofn yma) ond yr awgrym, wrth gwrs, yw bod hanner menyw ddim cystal ag un gyfan.

Dynes a Hanner yw enw sioe fy ngwraig a'i chyfaill mynwesol, Llio Silyn, ac oherwydd amgylchiadau teuluol, rwy wedi gorfod llenwi mewn: fel yr 'hanner' yn y teitl, bydde rhai menywod yn licio meddwl … a phwy ydw i i ddadle? Fel rhan o'r perfformiad rwy wedi gorfod bod yn dywysoges, yn ymladdwraig wael ac yn gwningen, ymysg pethau eraill. Gan mai diniweityn ydw i mewn gwirionedd, fe gytunes i wneud y cyfan, ond nawr rwy'n sylweddoli bod hynny o hygrededd oedd gen i yn shitrwns, wedi hen ddiflannu i'r pedwar gwynt. Rwy'n destun sbort o flaen neuadd yn llawn o Ferched y Wawr.

Ystyr y teitl, i fod yn fanwl gywir, yw bod yr arwresau benywaidd mae'r sioe yn cyfeirio atyn nhw'n fwy na jyst menywod cyffredin – maen nhw'n fenywod a hanner. Pwynt dilys. (Sylwch pa mor deg a chytbwys yw safbwynt y 'dyn'.) A dyna sut yr oedd hi pan oedd dwy fenyw ar y llwyfan. Nid cymaint felly pan mae dyn yn llenwi mewn dros un ohonynt. Mae fy ngwraig yn cael portreadu Marged ych Ifan, cawr, reslar a gof; Michel de Londres 'dyn' a choncwerwr; Jemeima Niclas, womper arall – ac ambell frenin, hefyd. Fi? Cwningen! Deng mlynedd ar hugain a mwy yn y busnes, dim ond i orffen fel rhyw Madge Allsopp i Dame Edna fy ngwraig.

Rwy'n credu bod menywod, mewn gwirionedd, yn hoff o hiwmor creulon, gwrth-wrywaidd. Mae fy ngwraig newydd fod yn gweld Jennie Eclair ar lwyfan, menyw sy'n enwog am hiwmor sinigaidd, 'eji', gwrth-wrywaidd, ac wedi chwerthin fel banshi o'r dechrau hyd at y diwedd. Mae hi'n dal i chwerthin – fe fydd hi'n aml yn ebychu, 'O! 'Wy newydd gofio rhywbeth arall wedodd hi ...' Mwy o chwerthin afreolus. Wel, *man up*, ys dywedan nhw. Gan fod Merched y Wawr Llanbrynmair a'r cylch wedi bod mor groesawgar, a chanmoliaethus, rwy wedi dechrau arfer

â'r syniad, ac wedi ymwroli i ryw radde, achos mae'n rhaid i mi gyfadde fod swyddi gwaeth i'w cael na bod yn hanner menyw. 'Sda fi ddim lot o ddewis beth bynnag. Mae mwy o berfformiadau ar y gorwel, a 'sdim ots pa mor bitw yw'r gwaith, mae'n rhaid rhoi cant y cant. Meddyliwch am y person druan oedd â'i law lan pen-ôl Blodyn Tatws am flynyddoedd. Ddim yn lot o job, ond dyna i chi berfformiad! Felly *bring it on!* Falle, gyda m'bach o brofiad, alla i fod yn fenyw gyfan cyn bo hir.

(Newydd gael e-bost. Ma' Llio ar gael nawr eto. Siom! Yn lle bod yn hanner menyw, rwy nawr ond yn ddyn eto.)

Bant am fis?

Mae'r wraig, yn rhinwedd ei swydd, wedi mynd bant â'n gadael ni unwaith eto. I Lydaw y tro yma ... am fis! Nid dyma'r tro cynta iddi fod i ffwrdd o adre. Mae'n digwydd yn eitha rheolaidd a dweud y gwir, ond y mis yma fydd y cyfnod hiraf. Mae hyn yn mynd i fod yn gryn straen arnon ni fel teulu. Nid mewn unrhyw ffordd gonfensiynol: bydd y plant yn iawn. Prin y bydden nhw'n sylwi ei bod hi wedi mynd, dim ond bod rhywbeth bwytadwy ar y ford, eu droriau nhw'n llawn pantsys a'r llwybr

yn glir i ddefnyddio unrhyw declyn dieflig, maen nhw'n ddigon hapus. Fi? Bydd hi'n braf cael y cyfle i wneud gwaith tŷ pan mae'n gyfleus i mi wneud hynny, yn hytrach na chael ein martsho rownd fel sgwadis i hwfro, garddio, smwddio ac yn y blaen. (Cyn i unrhyw un ddweud unrhyw beth, mae rhain yn bethau rwy'n eu gwneud beth bynnag, heb anogaeth na bygythiad.) Y rhyddhad mwya i mi fydd peidio gorfod gwrando ar '... gyn lleied mae'r plant yn 'i wneud o gwmpas y tŷ ...' – sy'n realiti rwy'n byw gydag e yn ddyddiol heb i unrhyw un fy atgoffa ohono. Caf fwrw mlaen i wneud y gwaith hwnnw fy hun mewn tawelwch. A fydd y gath yn teimlo'r golled? *Not a bit of it.* Yr unig beth sy'n poeni honno bellach, fel y plant, yw ei bol. Does ganddi ddim droriau llawn pantsys na theclynnau trydanol, hyd y gwn i.

Fydd 'na ddim bagiau dirifedi ar hyd y cyntedd llawn dillad naill ai i fynd, neu i'w golchi. Fydd 'na ddim gweiddi i fyny'r grisiau. Bydd y Rayburn yn rhoi ochenaid o ryddhad wrth waredu'r mynydd o nicsys amrywiol, bydd y sinc yn llawenhau gan y bydd pob tun, ffrimpan, sosban a phowlen yn ôl yn ei briod le, ac yn lân! Bydd posib cael corn gwddwg y tegell o dan y tap heb orfod symud pob iwtensil yn y tŷ o'r ffordd

cyn ei lenwi. Bydd sedd y toiled i fyny! O hyfryd ddydd! Pam nad yw hi'n mynd bant yn amlach?

Y Straen? O ie, y straen. Wel, fe fydd hi'n straen i feddwl am brydau bwyd gwahanol bob dydd. Fe fyddai'n haws berwi padell o basta bob nos iddyn nhw – ac i fod yn deg, fe fyddai'r ddau yn ddigon hapus â hynny – ond rwy'n trio meddwl am amrywiaeth o fwyd iach, sy'n golygu rhywbeth gwahanol bob nos. Rhyw ffordd neu'i gilydd, mae'r ddau ohonyn nhw'n gig-fwytawyr brwd. Rwy'n trio cynnwys digon o lysiau, ond mae'n dalcen caled pan mai'r cwestiwn cynta bob pryd yw 'pwy gig sy gyda hwn?' Wna i ddim mynd am yr opsiwn hawdd, ond fel un sydd â dim gronyn o ddiddordeb mewn coginio mae mis o giniawe amrywiol heb jips, byrgers, neu pizza yn mynd i fod yn gythrel o straen. Mae gan y wraig wir ddiddordeb mewn coginio, a syniadau chwyldroadol fel 'blas' ar fwyd, a ryseitiau newydd ac ati. Ffrwyth blynyddoedd yn ysgol Ystalyfera, a'i 'phwdinau pinafal wyneb-i-waered'. Dyw manion fel blas ddim yn poeni'r meibion ryw lawer – dim ond bod blas cig ynddo'n rhywle, maen nhw'n hapus. Fyddech chi'n meddwl, felly, fod y dasg yn un hawdd, ond oni bai eich bod chi'n mynd

am opsiynau mwy egsotig fel byffalo neu lama, mae'r dewis yn gyfyng i ffowlyn, cig oen, cig eidion neu borc. Cyfanswm o bedwar. Fe fydd ambell bysgodyn, wrth gwrs, ond eto dyw e ddim yn llawer o ddewis pan fo gyda chi 'byty hanner cant o brydau i'w paratoi. Byddwn ni'n taflu cyllyll at ein gilydd ac yn bwyta'r celfi erbyn iddi gyrraedd 'nôl. A dweud y gwir, pam mae hi bant mor aml?

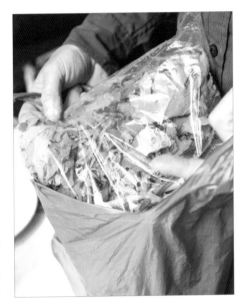

Fej!

Ers tua chwe mis a mwy mae'r wraig wedi gosod ordor wythnosol am lysiau organig. Ga i ddweud ar y dechrau nad oes gen i ddim yn erbyn llysiau organig na'r rheiny sy'n eu tyfu nhw. 'Hipis ddiawl!' Chlywch chi 'mohono i yn dweud hynny. Mr Cytbwys – dyna ydw i. Y drafferth yw, ers tua chwe mis, nid y wraig sy wedi bod yn coginio, ond myfi. Rwy'n credu 'mod i wedi siarad digon am fy ngalluoedd yn y gegin yn barod, felly ry'ch chi'n gwybod lle mae'r stori hon yn mynd yn barod. Fy mhroblem i yw'r swm o fej y mae deg punt yr wythnos yn ei brynu. Wel, dyna un rhan o'r broblem. Rhan arall y broblem yw nad yw e wastad yn amlwg beth yn union sydd yn y bag, gan nad oes labeli ar unrhyw beth. Nid pawb sy'n gallu gwahaniaethu rhwng *curly kale* a *chard* – a llai fyth, yn y tŷ yma o leia, sydd â'r awydd i fwyta'r un o'r ddau.

Rwy wedi colli cownt o'r gwahanol fathau o fresych sydd wedi cyrraedd ar y stepen drws bob nos Iau. Wrth gwrs, os na ddefnyddiwch chi nhw, mae e'n wastraffus, ac felly mae'n mynd yn ras wyllt wrth i nos Iau agosáu bob wythnos. 'C'mon, c'mon, mwy o fresych! Rwy'n siŵr allwch chi fwyta un cabatshen arall, blant ... a beth am lwyaid arall o'r mash seleriac yna i fynd gyda'r rwlâd rwdan? Mae digon ar ôl!' Yn sydyn, mae'r mab fenga yn gweiddi, 'Mae bag arall o fej wedi cyrraedd, Dad!' Beth? Nos Iau yn barod? Mae 'nghalon i'n suddo, gan mai ond hanner gwag yw cwdyn yr wythnos cynt. Fel petai hynny ddim yn ddigon drwg, am yr ychydig o wythnosau diwetha ry'n ni wedi cael sawl pwmpen. 'Handi ar gyfer noson calan gaeaf' medde chi. Mi fydden nhw wedi bod, oni bai am y ffaith mai rhai gwyrdd oedden nhw, a bod eu crwyn fel concrit. Beth allwch chi wneud â phwmpen werdd, ar wahân i'w thaflu at rywun dy'ch chi ddim yn arbennig o hoff ohono? Chi'n gweld, dyw'r bobol sy'n tyfu'r llysiau ddim yn deall y bola Cymreig. '*Kale makes gorgeous smoothies.*' Petawn i'n cael llysiau y gallwn i eu defnyddio bob wythnos, a rhai mae'r plant yn fodlon eu bwyta heb oriau o berswâd, yn hytrach na'r gêm ddyfalu arferol, fe fydde pawb yn y tŷ yn hapus. Ond rwy'n 58 mlwydd oed nawr, a heb aflwydd o ddiddordeb mewn coginio, nag arbrofi, nag ychwaith arbrofi â choginio, er gwaetha'r ffaith 'mod i (bron) yn credu mewn bwyta bwydydd yn eu tymor.

Ond yn ôl at y pwmpenni. Fe alla i glywed rhengoedd o gogyddion yn gweiddi bod digonedd o ryseitiau ar gyfer pwmpenni. Oes, mae'n siŵr. '... Ma' gan Delia rysáit hyfryd am gyrri pwmpen, sy'n hynod o flasus.' Hmm. All rhywun ddweud wrtha i pa flas sydd ar bwmpen? Anodd, yn'dyw e. Yn bennaf oherwydd ei fod yn gwbwl ddi-flas. Na, does neb yn ychwanegu pwmpen i unrhyw beth er mwyn gwella'i flas.

Unig fantais bwyta'r holl wyrddni yma bob wythnos, hyd syrffed, yw ei fod yn iach i'r plant. Er nad ydyn nhw'n ei werthfawrogi e nawr, fe fyddan nhw yn y pen draw. Wel, ymddengys na fydd pen draw. Clywaf floedd orfoleddus o'r lolfa.

'Dad! Mae'r papur yn dweud bo' ti i fod i roi Crunchies a Quavers a Kit-kats a Chicken Popstars (?) a ...'

Aeth y rhestr ymlaen ac ymlaen, ac nid y papur newydd yn unig oedd yn dweud hynny, ond taflen a gyhoeddwyd gan y Weinyddiaeth Iechyd hefyd. Mae'r holl bethau hyn – a llawer llawer mwy – yn ôl ar y fwydlen i blant. Bwyta bwydydd yn eu tymor, dyna oedd y mantra. A'r wraig i ffwrdd am y penwythnos, mae 'tymor' y fej yn brysur ddirwyn i ben. Gwaedd arall o'r lolfa, ddim cweit mor orfoleddus y tro hwn.

'Mae Mam ar y ffôn, Dad. Mae'n dweud

bod digon o gawl pwmpen yn y rhewgell.'

OK. Handi iawn, cariad. Caru ti – hwyl! Reit bois, *chicken nuggets*?

Clindarddach

Chwefror 2017

Os nad y'ch chi'n gyflogedig yn y busnes yma, mae'n debygol eich bod chi'n gweithio o adref. Mae rhai yn drefnus, yn creu nyth o breifatrwydd yn eu tai i ganiatáu iddyn nhw allu creu, yn ddi-ymyrraeth. *Man-shed*, falle, yn yr ardd, neu'r atig. Yn sicr, mae angen rhywle i roi'r syniad i eraill nad ydych chi ar gael. Tawn i'n gweithio mewn swyddfa, er enghraiff, fysen i ddim ar gael. Ond na, rwy'n hunan-gyflogedig ac yn gweithio yn y tŷ. Fel mae'n digwydd, mae gen i stafell yn yr atig, a desg, a llyfrau. Mae 'na wely yno hyd yn oed, a system sain hyfryd – ond yn anffodus, dim gwres. Dyw pwy bynnag luniodd y ddamcaniaeth fod gwres yn codi yn amlwg heb fod yn ein tŷ ni.

Mae gan ein gwres ni ddigon o loriau i godi stêm, fel petai, cyn cyrraedd yr entrychion, ond mae fel 'sa fe'n colli diddordeb erbyn yr ail lawr a throi'n ôl. Rhy oer, siŵr o fod. Fe allen i eistedd yno'n rhynnu drwy'r gaeaf ar ben tipyn o *fan heater*, fel petawn i mewn golygfa o *La*

Boheme, yn straffaglu mewn *garret* rhewllyd er budd fy 'nghrefft'. Ond na. Felly diolch yn fawr am y stamp effeithiolrwydd swyddogol sy'n profi bod digon o wadin yn y to i foddhau'r awdurdodau, ond dyw e ddim yn trosglwyddo yn wres go iawn. Canlyniad yr holl shenanigans yma yw fy mod i, gan amla, lawr stâr drws nesa i'r gegin (handi i ferwi'r tegell) ar *laptop* ar y ford. Mae hyn yn drefniant ffantastig pan nad oes neb arall yn y tŷ. Ond y peth gwaetha am weithio o adre pan fydd rhywun arall yn y tŷ yr un pryd yw eich bod chi, oherwydd eich presenoldeb, ar gael i bawb – er eich bod chi a'ch pen mewn cyfrifiadur ac yn gwrthod ateb cwestiynau. A fiw i chi roi

mewn, achos dyna lle fyddwch chi drwy'r dydd, yn symud hyn neu'r llall. 'Pum munud, dim ond pum munud fyddi di.' Ddwy awr yn ddiweddarach: 'Un peth bach arall, alli di fynd â'r celfi yna i'r atig? Gei di wneud beth wyt ti isie wedyn am weddill y dydd.'

Alla i gael lolipop hefyd? Faint o'r dydd fydd ar ôl i wneud unrhyw beth erbyn hynny? Ac os drïwch chi gario mlaen, allwch chi fentro y bydd cryn dipyn o glirio swnllyd yn cael ei wneud o gwmpas y gegin. Bocsys i'w clecian, drysau cypyrddau i'w cau a'u hagor a'u cau eto, bagiau plastig swnllyd (chi'n gorfod talu ecstra am rheiny) i'w sgrynsho, peiriant golchi, blender, tegell, meicrodon: *you name it*, fydd y cyfan yn mynd fflat owt. Ac yn gefnlen eironig i'r cyfan bydd *Women's Hour*. Wn i ddim a oes gan wragedd gêrbocs clindarddach, ond mae un y wraig yn y pumed gêr yn barhaol. Y glasur oedd, 'Os wyt ti'n ffansïo brêc, alli di beintio'r *dining room*.' Y gwir yw bod y rhan fwyaf o bobol yn hapusach yn gweithio, sef gwneud y gwaith sy'n ennill bywoliaeth iddyn nhw, y gwaith maen nhw moyn ei wneud. I'r rhan fwyaf o bobol, dyw hynny ddim yn golygu clirio'r tŷ.

'Bob tro rwy'n agor drws y gegin rwyt ti yna, felly mae'n naturiol i fi siarad 'da ti.'

Wel, alla i ddeall hynny. Felly bydd yn rhaid i mi naill ai eistedd lawr llawr â bag brown am fy mhen a'r gair 'Na' wedi'i sgrifennu arno fe, a dau dwll ynddo er mwyn i mi allu gweld y *laptop*, neu rewi lan lofft.

'Os wyt ti'n mynd i'r atig, cer â'r hwfer gyda ti. Fydd isie brêc arnot ti rywbryd.'

Ti yw hwnna?   **Ionawr 2017**

Tra oeddwn i'n estyn am lyfr ar silff uchel ychydig ddyddie'n ôl fe gwympodd llun ar fy mhen. Llun oedd e o ddau berson yn dal babi. Cododd Rhian e o'r llawr a gofyn, wrth drio craffu arno heb ei sbectol (dal i fyw celwydd!), 'pwy yw rheina? … O! Ni y'n nhw!'

Rhoddodd y mab fenga ei big mewn. 'Dad! Ti yw hwnna?' Doedd dim angen ei ddweud e fel tawn i wedi glanio o blaned arall. Do, fe ges i gyfnod o fod yn sionc ac yn heini. Falle nad yw'r tueddiadau hynny'n amlwg heddiw, ond do, fe fu cyfnod.

Yr hyn mae'r llun yn ei ddangos yw dau berson hapus a babi ychydig fisoedd oed. Hapus a di-glem, heb unrhyw syniad o'r antur fawr o'u blaenau. Ac yn ifanc – er 'mod i'n agos at fod yn ddeugain ar y pryd, ro'n i'n dal i edrych fel roeddwn i ugain mlynedd ynghynt, i ryw radde. Ond nawr, ugain mlynedd yn ddiweddarach, mae'n syndod beth mae grym disgyrchiant yn gallu ei wneud. Heb fanylu'n ormodol, ma' popeth ar i lawr.

Beth fysen ni'n ddweud wrth fy hunan yn y llun, petawn ni'n gallu gwneud hynny, ar ôl profi doethineb amser ac oedran, a phrofiadau bywyd? Roedd hi'n rhy hwyr i weiddi 'Rheda fel y jiawl!'. Wedi'r cyfan, roeddwn ni'n briod ac yn dad yn barod yn y llun. Beth am, 'Cofia, 'sdim rhaid i ti fwyta pwdin ar ôl pob pryd, dim ond oherwydd fod dy wraig wedi'i wneud e i ti. Bydd y powndie ychwanegol yna ond yn

Pwy yw'r cwpwl hapus? Yr Alban, 1996

arwain at fwy o boenydio wrth i ti fynd yn hŷn.' Neu 'Mae'r trowsus yna'n rhy dynn i ti. Mae'n hen bryd i ti drio colli pwysau.'

A dweud y gwir, 'wy ddim yn siŵr y bydden i'n rhoi unrhyw gyngor i mi fy hun. Mae hynny yn bennaf oherwydd 'mod i ddim yn siŵr oes unrhyw ddoethineb gen i i'w basio mlaen. Wedi'r cyfan, ry'n ni'n edrych yn hapus yn y llun, ac fe *oedden* ni ar y pryd. Pa bwrpas fydde i rag-rybuddio'r ddau ohonom am helbulon bywyd, a'n diflasu ni'n llwyr? Ydyn, mae profiadau bywyd yn bwysig, a thrwy drugaredd maen nhw'n dod yn raddol. Maen nhw'n rhoi patrwm o ryw fath i ni ei basio mlaen i'n plant – ond nid dyna'n unig yw eu pwrpas. Mae eu cario nhw o gwmpas dim ond er mwyn eu taflu nhw'n ôl at y genhedlaeth iau yn feichus ac yn wrth-gynhyrchiol, yn fy mhrofiad i. Beth ry'n ni'n ei anghofio'n aml wrth fynd yn hŷn yw ein bod ni'n dal i ddysgu a datblygu. Pan y'ch chi'n ifanc, mae'ch meddwl yn chwim ac yn awchu am

brofiad a gwybodaeth. Mae'r meddwl erbyn hyn fel gafael yn rhywbeth nad y'ch chi cweit yn siŵr beth yw e, a'i daflu i un ochr gyda'r bwriad o'i ailystyried yn y 'wedyn' tragwyddol. Mae posibilrwydd y gwelwch chi e eto, ond mae hynny'n annhebygol. Er hyn oll, ry'ch chi'n dal i ddysgu.

Y gwir yw, does gan neb ddysgeidiaeth gyflawn. Y *finished article* yw'r un yn y bedd. Y gamp yw cario eich profiadau yn ysgafn, cynnig cyngor, peidio â choethan, a chofio'r asbri a'r rhyfeddod yn y llun.

Ie. Reit. Wedyn, falle ...

Pennod 2. Teithio

All Aboard

Medi 2015

Fe ddes i 'nôl o Steddfod Genedlaethol Meifod ar y trên. Er gwaetha bwyell Beeching, mae 'na drên yn mynd drwy ganolbarth Cymru, sy'n digwydd stopio yn Llandeilo. Mae e hefyd yn stopio ym mhobman arall. Dyna pam mae'n cymryd tair awr i fynd o'r Amwythig i (dau ddeg a thri o orsafoedd yn ddiweddarach!) Landeilo. Â gwynt teg tu ôl i mi gallwn gerdded yr un pellter yn yr un amser. Ta waeth, mae'r golygfeydd yn odidog, a thrywydd y trac yn wers ddaearyddol ddifyr. Wedi cael lifft i'r orsaf hyfryd yn yr Amwythig, a chlywed côr meibion lleol ar sgwâr yr hen farchnad yn canu

'Gwahoddiad' (gan fod amryw o'r aelodau oedrannus yn Gymry) dechreuais sylweddoli y gallai ambell dref dros y ffin fod yn fwy Cymreig na'r rhai yr ochr yma, er i'r ddamcaniaeth honno gael ei thanseilio wrth i'r côr glatsho mewn i 'Bohemian Rhapsody'. Roedd y ffin ddiwyllianol wedi'i chroesi ymhell cyn y 'Mamma mia, Mamma mias', a chwalwyd fy namcaniaeth ymhellach wrth wrando ar gard y trên yn llabyddio pob enw Cymraeg o Knuckles drwy Langymark, a Lanwurda, i Fairfack a thu hwnt. Ta beth, ro'n i ar fy ffordd.

Yn ddigon rhyfedd, roedd fy mam-yng-nghyfraith yn dod ar hyd y trac o'r cyfeiriad arall, a byddai ein llwybrau'n croesi yn rhywle. Nid dameg yw hon, gyda llaw, ond stori wir. Roedd yn argoeli i fod yn ddigwyddiad diddorol, gan mai ond un trac sydd i'r lein. Www, cyffrous! Wel, y math o gyffro sydd i'w gael pan fydd buwch ar y lein, er enghraifft. Mae e bron fel pennod o *Tomos y Tanc*, yn'dyw e, ond yn arafach. Ta beth, wedi cyrraedd 'Lanwirted', yng ngeiriau'r gard, dyma ddod i stop am ddeng munud. Ac un lein wedi troi'n ddwy lein yn yr orsaf, esboniais i'r gard fod mam y wraig ar y trên oedd yn dod o Abertawe, a holi ai dyma lle fyddai'n llwybrau yn croesi. 'Yes. Happy days!' meddai. 'Best place for yer mother-in-law – on a train going further away from you with every second that passes!' Doedd e ddim yn brin o hiwmor. A'r trên o Abertawe yn agosáu at y platfform cyfagos, gwelais gyfle unigryw a phlentynnaidd i groesi'r trac a rhoi braw i'r fam-yng-nghyfraith, a dychwelyd i fy nhrên fy hun cyn iddo adael. Do, fe gafodd fraw, ond bu chwerthin hefyd, diolch i'r Iôr, cyn i mi groesi'n ôl a pharhau ar fy ffordd. Moment fach, falle, ond un gofiadwy.

A finnau yn ôl ar y trên felly, a'r ddau drên wedi parcio drws nesa i'w gilydd, fe weles fod y gard a'r gyrrwr yn casglu eu pethau ac yn camu ma's o'r trên, er bod yr enjin yn dal i droi.

'Are we not going on?' gofynnais.

'You are, but we're not,' meddai'r gard, a oedd yn dod o ganolbarth Lloegr yn ôl ei acen.

'Oh,' medde fi, 'You don't go all the way?'

'Oh no, we always change at Lanwirted,' medde fe â rhyw fath o ryddhad yn ei lais, yn awgrym na alle fe stumogi mwy o enwau Cymraeg aml-sill. 'The crew from Swansea change trains and go back to Swansea, and we go back to Shrewsbury.'

'You've never been any further?' gofynnais yn syn, cyn ychwanegu, 'you might be surprised.'

'Oh, I don't know what the 'ell appens down there,' meddai, gan gyfeirio lawr y trac, 'I've never even been further than the end of this platform.'

O ddewis, ynteu drwy orchymyn, tybed? Beth oedd e'n feddwl oedd yn digwydd y tu draw i Lanwrtyd, dyn a ŵyr, ond wedi diwrnod o groesi ffiniau diwylliannol a daearyddol, roedd hon, iddo fe, yn un nad oedd posib ei chroesi. Fe drodd y gard a'r gyrrwr ar draws y lein. Fel petai'r ddau wedi'u hangori â gwifren bynji i orsaf Amwythig, ar ôl ymestyn y lastic i'r eitha roedd hi'n amser troi am adre ffŵl pelt! Gwell peidio mentro'n rhy bell.

Dyw'r profiad ddim wedi amharu ar fy hoffter o deithio ar drafnidiaeth gyhoeddus, cofiwch. Rydw i, yn fy henaint, wedi anwesu'r antur hwn.

Beth? Bws? Fi?   **Mai 2016**

Fe dreulies i flynyddoedd cynnar fy mhlentyndod gyda 'nheulu'n gyrru o un pen o'r wlad i'r llall. Gan fod hyn cyn dyddie radio yn y car, hyd yn oed, roedden ni wedi bing-bongio a ging-gang-gwlio dros Gymru, ac yn wir ar draws Cymru, cyn diwedd y chwedegau. Mae'n siŵr fod twll yn yr haenen oson wedi'i enwi ar ôl fy nhad, o ganlyniad i'w ddyfalbarhad yn teithio o'r top i'r gwaelod ac yn ôl bob gwyliau. Ond nawr, a dadleuon cyson ar beth i wrando arno yn y car, a'r plant â'u hamryw declynnau swnllyd, pa obaith sydd bellach o gael profiad pleserus tra bydd dyn yn gyrru? Rwy'n deall 'mod i'n od yn yr ystyr mai bach iawn o bobol trigain oed sydd am fynd ar fws, neu drên anghyfleus. Maen nhw'n dal i feddwl amdanynt eu hunain fel pobol 'ddefnyddiol' yn y gymdeithas, ac yn llawer rhy brysur yn rhuthro o gyfarfod i gyfarfod i iselhau eu hunain i ddal ... 'Beth oedd e eto? Bws?'.

Rhyw fis yn ôl fe ges i 'mhen-blwydd yn drigain. *No big deal*, meddech chi. Yn union. Un flwyddyn arall. *The new forty* neu ryw nonsens, yndife. 'Sdim wedi newid i mi, ond mae pobol eraill yn fy nhrin i'n wahanol nawr. Yn dilyn y cardiau cyfarchion drwy'r twll yn y drws (a doedd dim llawer ohonyn nhw, diolch i chi am ofyn) roedd nifer o lythyron nad oeddwn yn eu derbyn pan oeddwn yn bum deg naw. Llythyron gan Ymchwil Alzheimers, er enghraifft (yn f'atgoffa 'mod i'n sefyll ar erchwyn rhyw glogwyn anferth) yn gofyn

am gyfraniad. Wedyn llyfryn bach yn datgan 'Enillydd Sicr!' Pa beth yw hyn? Rhywbeth cadarnhaol? 'Bob blwyddyn mae 3.2 miliwn o bobol y Deyrnas Unedig yn colli mwy na 3.5 biliwn o bunnoedd oherwydd sgamiau, rafflau ffug, twyll ...' ac yn y blaen, cyn gorffen gyda'r frawddeg, 'Os yw'r cynnig yn rhy dda i'w gredu, da chi, peidiwch â'i gredu!'

C'mon! Dim ond trigain ydw i! Falle 'mod i wedi colli blwyddyn arall, ond 'wy ddim wedi colli fy marblis, diolch yn fawr i chi. Ac ar ben popeth, pecyn hwylus gan yr NHS yn gofyn i mi gofnodi cynnwys fy *number twos*, a chyfarwyddiadau ar sut i

'gynaeafu'r' tystiolaeth cyn fflysho. Nawr dwi *yn* teimlo'n drigain – *the new eighty*! Hyd yn hyn, 'wy ddim wedi derbyn llythyr gan y Gymdeithas Baranoia Fyd-eang, ond mae e'n bownd o ddod yn fuan. Felly pan glywes i, ar ôl pasio'r trigeinfed pen-blwydd, fod posib cael carden i deithio ar y bws am ddim i bedwar ban Cymru, fel gallwch ddychmygu, ro'n i'n gyndyn iawn i gamu o'r tŷ – achos yn ôl yr holl lythyron, os a' i, sut rwy'n mynd i gofio'r ffordd 'nôl? Os bu 'cynnig rhy dda i'w gredu' erioed, dyma fe. Ond o, hyfryd ddydd.

Ddweda i un peth – mae teithio gyda'r *hoi-polloi* yn gwneud byd o wahaniaeth i ddyn, heb sôn am helpu i lenwi'r twll a agorwyd gan Austin Cambridge fy nhad. Mae gan eraill syniadau gwahanol am sut i achub y blaned.

Toyota Prius   **Mai 2016**

Dyna lle o'n i, yn croesi'r hewl am y bys-stop, i fentro i fan lle na bu dyn erioe... wel, Caerfyrddin ar y bws, i fod yn fanwl gywir, pan ges i lond twll o ofn. Rwy wedi cael sioc sawl gwaith gan ryw sŵn dychrynllyd, ond erioed gan ddim sŵn o gwbwl. Dyna lle roedd y 'Smygddyn' tu ôl i olwyn Toyota Prius yn edrych yn eitha crac arna i. Yn reit

grac fy hun, edrychais yn ôl arno. Wedi'r cyfan, bu bron iddo drawsblannu'r 'T' am Toyota oedd ar fonet ei gar fel tatŵ i foch fy mhen-ôl i. Dyw'r ceir trydan yma ddim yn gwneud sŵn. Ac er nad y'n ni yn Llandeilo yn taflu cerrig at awyrennau bellach, dy'n ni ddim yn gweld llawer o geir trydan yn dod trwyddo. Pam na all y gyrrwr weiddi 'brwm, brwm' ma's drwy'r ffenest i gyhoeddi ei bresenoldeb? Ddylen i fod wedi edrych y ddwy ffordd, rwy'n cyfadde, ond r'yn ni'n tueddu i edrych gyda'n clustiau i ryw radde, ac oherwydd na chlywes i unrhyw beth o'r chwith doedd dim rheswm i mi edrych i'r chwith. Camgymeriad, mae'n amlwg, ar fy rhan. Mae'n rhaid cydnabod hefyd, yn gyndyn, fod Mr Smygddyn yn y Taflegryn Tawel Toyotaidd yn gwneud 'i bishyn i arbed y greadigaeth, er nad o'n i'n barod i ddangos hynny'n gyhoeddus.

Mae fy nelwedd fel Bwsddefnyddiwr/ gwarchodwr yr amgylchfyd wedi cymryd tipyn o glec yn ystod yr wythnosau a aeth heibio. Yr unig gyfiawnhad y galla i ei gynnig, o orfod mynd i fro fy mebyd a thaflu nwyon gwenwynig i'r awyr wili-nili yw hwn: ym Mhort Talbot, mae'r llygredd hwnnw mewn cwmni gwir anrhydeddus.

Rwy'n credu ein bod ni i gyd, erbyn hyn,

yn cydnabod bod rhinwedd i geir trydan. Yn wyneb absenoldeb ceir niwclear, petrol – ac yn waeth, disel – yw'r bwganod gwaetha yn nhyb y rhan fwyaf ohonon ni. Ond nawr mae'r freuddwyd wledig o'r cerbyd trydan, a'r bywyd gwyllt o'i gwmpas yn trydar ei llawenydd ac yn hopian yn wên o hirglust i hirglust yn yr awel lesol sy'n dod o'i ben-ôl, yn prysur droi'n hunllef. Mae ceir trydan yn drymach. Pa ots am hynny, meddech chi. Wel, yn un peth, mae'n anoddach eu stopio nhw, felly mae'n rhaid defnyddio mwy o'r brêcs. Mae'r pwysau, sy'n deillio o'r batris sy'n gyrru'r ceir, hefyd yn golygu eu bod nhw'n treulio teiars yn gynt, ac yn tasgu dafnau bach o bitiwmen o wyneb yr hewl i'r amgylchedd. Rhwng popeth, yn ôl y cylchgrawn *Atmospheric Environment* (teitl *catchy* –

triwch ffindio hwnna ar silffoedd WHSmith) mae cyfanswm y llwch o'r brêcs, y teiars, a'r hewl yn sgil ceir trydan yn llawer gwaeth na llygredd confensiynol o geir cyffredin. Blincin Hec! Delfryd arall wedi'i chwalu'n ddarnau mân. Ond o edrych ar yr ochor bositif, a fydda i'n teimlo cweit mor euog yn taranu lawr y draffordd â mwg y canrifoedd yn tywallt o mhen-ôl i? Diawl, rwy'n credu y tania i sigâr tra bydda i'n gyrru hefyd, fel dathliad. Gyda llaw, Mr Smygddyn, watsh owt, boi – ma peil o gerrig 'da fi ar ben yr hewl.

Anfantais rhuthro lan a lawr y draffordd yw bod y car yn casglu baw drwy'r amser. Byddwn i'n ddigon bodlon ei olchi, heblaw mai'r baw sy, mwy na thebyg yn ei ddal e at 'i gilydd ...

Golcha dy gar! Mawrth 2016

Golcha dy gar! Dyna oedd y gorchymyn ola cyn gadael y tŷ.

Mae gan ddyn amser i synfyfyrio a meddwl yn ei gar. Mae e fel porth i ryw is-fyd lle ry'ch chi'n sylwi ar bethau a fydde'n anweledig ar unrhyw adeg arall ... fel shed ar olwynion.

Rwy'n licio fy nghar. Nid oherwydd 'i fod e'n berffaith ym mhob ffordd ond oherwydd 'i fod e ddim. Does gen i ddim digon o amser i restru popeth sy'n bod arno fe, ond rwy'n addoli'r peiriant dwy litr sydd eisoes wedi teithio chwarter miliwn o filltiroedd ac yn dal i fynd fel deryn, bob dydd. Dyw'r wraig ddim yn ffan. 'Golcha dy gar er mwyn y nefoedd, ac ma eisiau cliro'r holl rybish yna ma's ... a pam nad yw'r ffenestri'n cau yn iawn?'

Fe ddwedodd ffrind wrtha i yr wythnos ddiwetha, 'weles i ti yng Nghaerfyrddin ddoe yn y car ... o'dd golwg y diawl arnot ti.' Heb shafo? Heb gribo 'ngwallt? Beth fu'n gyfrifol am chwalu'r pictiwr perffaith arferol? Yn sydyn, fe gofies i. Ma' rhywun wedi bod yn ffidlan â'r radio yn y car. Pan rwy'n dweud 'rhywun', rwy'n cyfeirio at y plant. Ryw ffordd neu'i gilydd, maen nhw wedi trefnu fod y radio yn troi yn awtomatig i ba bynnag sianel sy'n darlledu adroddiadau traffig lleol. Mae 'na bîp na ellir ei glywed ym mhob adroddiad traffig, ac mae'r radio yn cydio yn y bîp hwnnw ac yn newid yn syth i ba bynnag orsaf sy'n darlledu'r wybodaeth fwyaf perthnasol i chi. Yn y cyswllt yma, Radio Wales. Mae hynny'n golygu unrhyw le yng Nghymru. Oes 'na unrhyw beth yn gwneud dyn yn fwy crac? Ry'ch chi'n gwrando'n astud ar gampwaith cerddorol neu sgwrs ddifyr ...

'traffic is backing up on the A470, with delays on the A55 east of Colwyn Bay.' Dyw e ddim werth taten os y'ch chi yn Nhŷ Ddewi. Mae e'n handi iawn i rywun â'i ben yn 'i ben-ôl, falle, ond rwy'n licio meddwl, 'tawn i angen yr wybodaeth, y bydde gen i'r synnwyr cyffredin i allu ei ffindo fe fy hun. Beth 'wy *ddim* yn gallu'i wneud yw troi'r bali adnodd off! Does dim pwynt i mi ofyn i'r plant, achos dy'n nhw ddim yn gwybod sut i'w ddatgloi e chwaith ... wel, ddim yn fwriadol, o leia. Dyna pam roedd gen i wyneb fel drws jael tra o'n i'n gyrru drwy Gaerfyrddin.

Peth arall rwy wedi sylwi arno fe pan fyddaf yn fy ngherbyd sanctaidd, amherffaith, yw bob tro y bydda i'n teithio o Landeilo i gyfeiriad Cross Hands drwy Gastell y Rhingyll, mae 'na ddyn yn eistedd yn ei ardd. Bob tro. Beth mae e'n wneud yna? Dim ond eistedd. Fe wnes i ddigwydd rhannu'r ffaith hon gyda'r wraig, ar y ffordd i'r gwely.

'Beth mae e'n wneud yna?' oedd ei hymateb hithau hefyd, cyn dychwelyd i'w llyfr.

'Wy ddim yn gwybod,' medde fi'n freuddwydiol. Lawr â'r llyfr.

'Fentra i 'i fod e hefyd yn gorwedd drws nesa i'w wraig yn dweud, "bob tro rwy'n eistedd yn yr ardd, mae'r boi crac 'na yn yr hen gar mochedd, llawn rybish, gyda'r ffenestri sy ddim yn cau, yn mynd heibio. Bob tro." '

Mae'n beth da rhannu, weithiau.

Marwolaeth y Merc **Ionawr 2017**

Rwy wedi bod yn edmygydd mawr o geir Almaenig erioed. Ac eithrio dau Saab a Seat (VW sy'n rhedeg ar sangria) mae pob car arall rwy wedi bod yn berchen arno wedi dod o'r Almaen. Ond dyma'r Merc cynta i mi fod yn berchen arno, a'r *automatic* cyntaf hefyd. Doedd yr elfen honno ddim yn hollbwysig, ond roedd e yn golygu, ar ôl blynyddoedd o rasio lan a lawr y wlad fel nyter, ryw elfen o hamdden tra o'n i'n gyrru, o ystyried hefyd bod y seddi'n llydan ac yn gyfforddus. Gyrru traed-i-fyny ar ei orau.

Rwy'n ymwybodol nawr 'mod i wedi peintio rhyw lun o ddelfryd berffaith, ac fe *oedd* e, i mi. Nid felly y byddai eraill yn ei gweld hi, yn enwedig un aelod pwysig o 'nheulu. Roedd y Merc yn gerbyd dau ddrws, pedair sedd, sy'n golygu codi'r sedd flaen er mwyn cael mynediad i'r cefn. Anodd ar y gorau i blant anferth a pherthnasau oedrannus. O'r foment y prynes i'r car doedd y *central locking* ddim yn gweithio, na ffenest y gyrrwr yn cau i'r top. Manion oedd y rhain, wrth gwrs. Roedd posib codi'r ffenest yr hanner modfedd ola â llaw, a chau'r car o sedd y teithiwr drwy'r roi'r botwm lawr ('fel oedd yn rhaid i ni i gyd wneud flynyddoedd yn ôl, blant' ... 'mae lot wedi newid ers oes y deinosoriaid, Dad'). Fe ddiflannodd y goleuadau o'r dashbôrd – nid y rhai pwysig

dros y deials, ond y rhai ar gyfer y gwres, y radio ac ati – ac yn y tywyllwch roedd hi'n *hit and miss* p'un ai gawn i wres tanbaid neu Radio 4, neu unrhyw gyfuniad o'r switshys eraill. Fel un sy wastad wedi mwynhau sypréis, roedd hon yn elfen adloniannol annisgwyl, ac yn un i fod yn ddiolchgar amdani, gen *i*, o leia, tra oedd gweddill fy nheulu yn bloeddio, 'gwertha fe, er mwyn y nefoedd!'.

Yna, trengodd y ffan – nid yr un o dan y bonet, ond yr un a oedd yn gwasgaru'r gwres yn y car. 'Gwisgwch siwmper.' Cyfyngwyd y potensial adloniannol fwyfwy pan stopiodd y breichiau a ddaliai'r gwregysau diogelwch weithio. Dyma oedd yr elfen James Bond-aidd a ddifyrrai'r plant fwyaf ... a finnau. Roedd y gwregysau yn dal i weithio, wrth reswm, ond fe ddiflannodd ychydig o'r 'llwch picsi'. Wedyn dechreuodd yr enjin ryfeddol (a fu, tan y pwynt hwnnw yn *bomb-proof*) ddefnyddio cryn dipyn o ddŵr, oedd yn arwydd ei bod yn poethi'n ormodol. Cyn hir roedd y car yn costio mwy i mi mewn dŵr na phetrol, a byddwn yn cario casgen blastic yn y bŵt yn llawn hyd y gwddwg, yn barod er mwyn llenwi'r tanc dŵr o dan y bonet.

Wedyn aeth y weiper y *windscreen* yng

nghanol taith i Lanelli ... yn ystod monsŵn. Fe wnes i ystyried agor y ffenest a sychu'r gwydr gyda chlwt tra oeddwn yn gyrru, tan i mi sylweddoli pa mor anghyfrifol oedd y syniad. Ta beth, ro'n i ar y ffordd i stiwdio *Heno* i sôn am erddi Cymru. Â phrin bedair munud i sôn am y gyfres, do'n i ddim eisiau gwastraffu amser yn esbonio pam fod llewys fy siaced yn swp.

Yn sydyn, ar y ffordd adre, dechreuodd y weipers weithio eto. Hwrê! 'Sgwn i a ddaw'r ffan yn ôl hefyd,' meddyliais – ac fe ddaeth! Ar draul y weipers, a stopiodd yng nghanol y ffenest.

Mae rhai misoedd wedi pasio ers hynny, a phan aeth y weipers eto, y tro yma oherwydd bod y peiriant wedi cyrraedd ei ddiwedd, roedd rhaid ystyried yr annychmygadwy – gwaredu'r car. Ag un weithred herfeddiol, fe ddaeth breichiau'r gwregysau diogelwch yn fyw eto. Ond yn rhy hwyr. Wedi dau gant a deugain o filoedd o filltiroedd, mae'n rhaid iddo fynd. O'r meinciau cefn clywyd sŵn gorfoledd, ond o sedd y gyrrwr, wylofain a rhincian dannedd.

Buddugoliaeth!

Ffilm arswyd o'r wythdegau oedd *Carrie*, a chafwyd ynddi bortread ysgytwol gan Sissy Spacek, perfformiad a seliodd ei gyrfa fel actores glodwiw. Ar y pryd roedd hi'n ffilm lwyddiannus, boblogaidd, am ferch na chafodd lawer mewn bywyd, ond a chanddi bwerau uwchnaturiol. Ar ddiwedd y stori aeth i'w bedd wedi darn-ladd hanner ei chyfoedion mewn disgo, a hynny yn y modd mwyaf gwaedlyd. Ond yr olygfa reit ar y diwedd mae pawb yn ei chofio o'r ffilm, yr un lle mae un o'i chyd-ddisgyblion yn mynd i roi blodau ar ei bedd. Mae e'n ymddiheuriad o fath am ei gwawdio a'i bychanu tra oedd hi byw. Yn sydyn, mae llaw Carrie yn saethu lan o'r bedd, gafael ym mraich y ferch a cheisio'i llusgo o dan y ddaear.

Rwy'n gallu synhwyro fod cogiau meddyliol y genedl yn troi ... 'pam gythrel mae e'n sôn am yr hen ffilm yna?' Wel, wedi ffarwelio â'r Merc ychydig wythnosau yn ôl (er ei fod e'n dal i fod wedi'i barcio tu allan i'r tŷ), fe weles i *windscreen wiper engine* ar Ebay. Yn hytrach na derbyn y bai i gyd, fe benderfynes i ddweud wrth Rhian mai Eifion, mecanic lleol wrth 'i reddf a chyflawnydd gwyrthiau yn ei amser sbâr, oedd wedi ffonio i ddweud bod posib cael peiriant newydd i'r weipers am £30 ar Ebay. Ac er mwyn cadarnhau'r digwyddiad fe siarades i â'n hunan ar y ffôn.

'Jiw, thyrti pownd? nefi ... wel, ma' honna'n ormod o fargen, Eifion ... O, os y't ti'n meddwl ... bla-di-bla-di-bla ... ta-ra!'

'Pwy oedd hwnna nawr?'

'O, dim ond Eifion. Gredi di byth, mae e wedi bod yn wilo ar y we, cofia, a wedi ffindo peiriant.'

Dyna oedd y fraich yn codi o'r bedd. Nid bod weiper newydd yn mynd i wneud y Merc yn berffaith, ond o leia roedd e'n gam cadarnhaol i'r cyfeiriad iawn – i mi, beth bynnag. Ar ôl datgysylltu'r *life support* beth amser ynghynt, fe ddaeth f'anwylyd yn ôl yn fyw. Wel, mae gobaith. Wna i ddim crybwyll beth ddywedodd y wraig. Dyw e ddim yn weddus ar gyfer cyfrol barchus fel hon, ond gallaf ddweud nad oedd e i gyd yn bositif. Mae'n rhaid cyfadde, wnaeth Rhian erioed gymryd at y Merc yn y ffordd

ro'n i'n disgwyl. Fe ddotiodd ar ei siâp a'r seddi cyfforddus (a dweud y gwir roedd hi'n anodd peidio), ond bach iawn barodd y llawenydd pan ddechreuodd pethau fynd o chwith. Nid 'mod i isie cyffredinoli, ond mae 'na ddau fath o berson yn y byd 'ma. Rhai sy'n anfodlon ag unrhyw fath o fethiant, a'r rhai sy'n anwesu methiant fel rhan anorfod o fywyd bob dydd. Peidiwch ag anelu'n rhy uchel – mae perffeithrwydd tu hwnt i'n cyrraedd.

'Fe ffonodd Eifion? I ddweud bod *windscreen wiper* ar Ebay?' gofynnodd.

'Do. Eifion.'

'Bradwr! Ar ochor pwy ma' hwnna? Aros 'sbo fi'n 'i weld e.'

O'dd popeth yn mynd yn grêt, ond mae'n gachfa llwyr erbyn hyn, achos mae Eifion wedi bod ar y ffôn gyda hi ers hynny, yn gofyn 'Pwy weiper? Sai'n gwybod dim

byd am weiper,' a chyn i'r wraig a finne gael y sgwrs sy'n dechrau gyda, 'O'n i'n meddwl mai Eifion ffindodd y weiper ...' bu'n rhaid i mi gyfadde. Ro'n i'n meddwl y gallen i ddargyfeirio ychydig o'r bai ar Eifion, dim ond yn ddigon hir i gael y car allan o *intensive care*: dweud rhywbeth fel '... wel, fel ti'n gwybod, Rhian, ro'n i wedi rhoi lan arno fe, ond Eifion ffindodd y bali weiper 'na, ac o'n i ddim yn lico disapointo fe, ma' fe'n fachan mor neis ...' Y math yna o beth. Ond na.

Os wyt ti, Eifion, yn digwydd bod yn darllen hwn, sai'n meddwl gair o'r cymal ola 'na, reit? Bradwr! Ond fe gei di faddeuant, achos iahŵŵ! Mae e 'nol ar yr hewl!

Am nawr, o leia.

Ro'n i'n gyrru lawr y draffordd nos Sadwrn diwetha, drwy wynt a glaw Beiblaidd, a gwelais arwydd yn wincio arna i. Roedd yn rhaid i mi graffu drwy'r glaw oedd yn tasgu oddi ar y *windscreen* er mwyn rhoi rhywfaint o sylw iddo, a hynny wrth geisio cadw rhwng y llinellau gwyn a pheidio rhoi fy mhig lan pen-ôl y cerbyd o 'mlaen. Yn aml iawn mae'r arwyddion yn rhybudd o ryw ddargyfeiriad a allai effeithio ar eich siwrne, felly byddai'n ffôl eu hanwybyddu. Ro'n i bron â phasio'r bali thing cyn i mi allu darllen y neges oedd arno: 'Bad Driving Conditions'. Ryw ganllath yn ddiweddarach, eto yn wincio drwy'r dymestl, ond yn Gymraeg tro yma: 'Amodau gyrru gwael' – rhag ofn eich bod chi'n meddwl fod yr arwydd Saesneg yn gelwydd. Wn i ddim faint mae'r arwyddion yma yn eu costio, ond rhai miloedd fydden i'n meddwl, dim ond er mwyn rhybuddio pobol am rywbeth sy'n fwy nag amlwg yn barod. Yn wir, oherwydd yr amodau, y peth lleia amlwg oedd yr arwydd ei hun.

Pan o'n i yn y coleg celf yn y saithdegau roedd pwyslais ar geinder arwyddion ffordd, ar y pwysigrwydd i'w gwneud mor ddealladwy a chryno eu cynllun â phosib.

Symlrwydd a neges glir – dyna oedd y nod. Erbyn heddiw, mae cymaint o arwyddion ar ymyl yr hewl yn gyffredinol nes eu bod yn ddryslyd, i'r gyrrwr ac i gerddwyr ar y palmentydd. Y mwya o orchmynion sydd i wneud hyn neu'r llall, y lleia o gyfrifoldeb sydd ar yr unigolyn. Dilyn ordors y'n ni erbyn hyn.

Pan o'n ni'n blant, roedden ni'n cael ein dysgu i groesi'r ffordd – nid ar groesfan, ond yn unrhyw le, gan sicrhau yn gynta nad oedd ceir yn dod y naill ffordd na'r llall cyn croesi. Dyna oedd ein cyfrifoldeb ni. Dyletswydd y gyrrwr oedd arafu i ganiatáu i bobol groesi'n saff. Mae llinell denau fan hyn rhwng gwneud yr hyn sy'n ofynnol, a'r hyn sy'n bosib. Rwy wedi sefyll ar ochor hewl yn yr Almaen ar sawl achlysur yn aros i groesi, ac wedi bod yn fagned i ddirmyg a gwawd am i mi wneud hynny cyn i'r dyn bach droi o goch i wyrdd, er gwaetha'r ffaith nad oedd yr un cerbyd yn y golwg. Yn yr un modd, pam na all arwyddion y draffordd gyhoeddi rhywbeth cadarnhaol fel, 'Mae'r amodau nawr wedi gwella. Hwrê!' neu, os nad yw hynny'n ddigon cryno, beth am 'Jiw, ma'i 'di slaco!' Rwy wedi sylwi cyn heddiw bod arwyddion i'n hatgoffa i beidio ag yfed a gyrru. Mae'r arwydd Saesneg yn hen gyfarwydd i ni:

'Don't Drink and Drive', neges glir i bawb. Ganllath lawr yr hewl, mae'r neges Gymraeg yn llawer mwy personol. 'Paid yfed a gyrru.' Pwy, fi?

Mae hyn yn codi'r busnes 'ti' a 'chi' – roedd y wraig, (Treforys *through and through*) wedi drysu'n lân pan glywodd ogleddwyr yn ei chyfarch am y tro cynta yn y coleg â 'sut wyt ti?' cyn ateb, 'sori, o ble wy'n nabod chi?'. Dwi'n eitha lico'r elfen gyfarwydd hon. Neges i 'chi' a neb arall yw hi, yndife? Bron na chaf fy nhemtio i ateb, 'diolch am fy atgoffa i, arwydd, wna i ddim'. Nid 'mod i wedi ystyried gwneud, ond mae'n braf bod rhywun yn edrych ma's amdana i'n famol. Un arall da fydde 'oes pants glân mlaen gyda chi heddiw?' neu 'ydi'ch bra a'ch nics chi'n matsho?' (Ac mewn dyfynodau oddi tano: 'rhag ofn i chi gael damwain'.). Ac mae hynny'n gymaint mwy tebygol, wrth straffaglu i ddarllen arwyddion dianghenraid wrth yrru …

Mobeil

Chwefror 2015

Cyn hir bydd camerâu yn gallu synhwyro a yw gyrrwr yn defnyddio ffôn symudol a gyrru ar yr un pryd – ac yn wahanol i gamera cyflymder, signal y ffôn fydd yn tanio'r camera, nid cyflymder y car.

Yn wreiddiol, dyfeisiwyd ffonau symudol gan ein bod ni i gyd mor ddychrynllyd o brysur a phwysig a bod angen i ni fod ar gael ar bob achlysur, lle bynnag oedden ni. Mae'r cliw yn yr enw. Ffôn symudol. *Mobile phone*. Ond cyn gynted ag y dyfeisiwyd nhw, bron, dechreuodd cymdeithas roi ffiniau ar eu defnydd. Roedd hi'n anghwrtais siarad ar y ffôn ar drên. Nid 'anghwrteisi' oedd hyn ond ymgais i beidio â gorfod gwrando ar y cach mae pobol yn ei siarad. 'Taen nhw'n sôn am ryw argyfwng neu'i gilydd, neu eu bod nhw'n rhoi gwybod i anwyliaid bod y trên yn hwyr, er enghraifft, rwy'n siŵr na fydde neb yn cwyno.

Mae'n rhaid cyfadde, rwy'n hoff o wrando ar un ochr o sgwrs ffôn a thrio dychmygu'r sefyllfa y pen arall. '...the yellow thing in the butter dish *is* the butter, Clive,' a'r bythol 'Hi babes, it's me. I'm on the bus...' ac yn y blaen. Mae ffonau symudol yn gymaint rhan o'n bywydau ni bellach fel bod pawb yn eu cymryd yn ganiataol. Mae'n debyg bod llwythi sy'n byw mewn cytiau gwellt cyntefig ar draws canol Affrica, heb unrhyw dechnoleg fodern arall, yn gallu cysylltu â'i gilydd ar ffonau symudol, diolch i ryw sateleit neu'i gilydd. Yr un dechnoleg sy'n caniatáu i

Boko Haram gyfathrebu a threfnu erchyllterau yng ngorllewin Affrica. Lle mae eu biliau nhw'n mynd, tybed? Ydyn nhw ar *Pay as you Go*?

Dy'n ni'n meddwl dim am fforco ma's ddeugain punt y mis am y pleser o'u defnyddio. Dyna'n union wnes i am ddegawd a mwy – er, fe fydden i wedi cael mwy o ddefnydd ohono 'tawn i'n byw ym mherfeddion y Congo! Does gen i ddim signal yn fy mharlwr fy hun. Rwy'n ateb galwadau hyd syrffed gan gwmnïau mobeil sy'n holi oes gen i ddiddordeb mewn 4G, pan nad oes gen i un baryn o signal heb sôn am ddau na thri ... ac yn sicr ddim 4G.

O ble ddaeth yr ysfa angerddol yma i

fod ar gael yn dragwyddol? Mae plant yn cyrraedd adre o'r ysgol ac yn ffonio rhywun oedd ar y bws gyda nhw funudau ynghynt, i wneud yn siŵr nad oes rhywbeth angeuol wedi digwydd iddyn nhw yn y canllath o'r bys-stop i'r tŷ. Ac achos ein bod ni wedi derbyn y gallwn ni siarad â phawb drwy'r amser, mae'n anodd ymwrthod â'r demtasiwn i ffonio o'r car. Un llaw oddi ar y llyw? All e ddim bod mor wael â hynny. Tybed?

Does dim dwywaith, dyma un o'r pethau twpaf y gall rhywun ei wneud tra mae'n gyrru, ac mae tecstio tu ôl i'r llyw yn lefel cwbl wahanol o dwptra. Ond mae pethau eraill, yr un mor ddrwg, yn tynnu'ch sylw yn y car. Plant yn dadlau yn y cefn, er enghraifft. Rwy wedi gorfod stopio'r car cyn heddiw. All smocio ddim bod yn beth call i'w wneud, chwaith. Tra y'ch chi'n canolbwyntio ar gael y fflam at ben y sigarét, lle mae'ch ffocws chi fel gyrrwr bryd hynny?

Mae pobol wedi cael eu stopio gan yr heddlu am fwyta bar siocled Mars wrth y llyw, oherwydd bod gwneud y fath beth yn eich gorfodi chi i dynnu un llaw oddi ar yr olwyn. Yw newid gêr hefyd yn eich gorfodi chi i wneud hynny? Mae tystiolaeth i brofi bod cerddoriaeth gyflym a sŵn uchel yn effeithio ar y ffordd ry'n ni'n gyrru. A fydd gwrandawyr Tommo, felly, yn cael eu hychwanegu at y rhestr hon o bechaduriaid?

Y gwir yw na allwch chi wneud dim yn eich car bellach. Mae anadlu yn OK, ond ar wahân i hynny, dim. Dim ond gyrru.

I ble mae honna'n mynd?

Ionawr 2016

'Wy ddim yn *geek*. Os rhywbeth, rwy'n ddeinosor, ac ar ôl byw mewn byd lle mae teclynnau fel y naddwr pensiliau yn dal i gael eu parchu (does dim yn rhoi mwy o bleser na min da ar bensil ...) rwy'n gallu edrych ar y byd a rhyfeddu at ei soffistigeiddrwydd. Mae gen i i-phone – nid un fflash ond hen un – ond mae'n ddigon fflash i mi. Fel un sy'n ddibynnol ar wybod beth sy'n digwydd a phryd, mae cael ffôn sy'n fy ngalluogi i gofnodi dyddiadau tra wy'n siarad â rhywun ar y ffôn yn ffantastig! Rwy wedi cael ar ddeall gan amryw o ffrindiau, a 'mhlant, mai dyna yw'r peth lleiaf soffistigedig am unrhyw ffôn y dyddie yma. Does gen i ddim apiau tragwyddol, ond mae gen i un sydd wedi fy hudo yn llwyr.

Yn ei hardal ni, mae awyrennau byth a

beunydd uwch ein pennau, ar y ffordd i'r Amerig neu Ganada, neu ymhellach. Pwy a ŵyr. Ac yn aml yn yr haf, a'r awyr yn las, fe fyddwn ni'n gorwedd ar y borfa ac edrych i fyny, a cheisio dyfalu i ble yn union mae rhubanau gwyn yr awyrennau hynny'n mynd. Nawr, mae'r pleser o ddyfalu wedi dod i ben diolch i'm cyfaill newydd Plane Finder. Nawr, ry'n ni'n gallu rhannu 'gwybodaeth'. Does dim '... pwy a ŵyr?' bellach. Drwy bwyntio'r ffôn at unrhyw awyren yn yr awyr, fe alla i ddysgu popeth amdani. Pa gwmni sy'n berchen arni, lle mae hi'n mynd, sawl milltir mae hi wedi'u teithio yn barod, pryd fydd hi'n cyrraedd pen ei thaith, ac a fydd hi'n hwyr neu'n gynnar. Cyflymdra, uchder ... i gyd ar flaenau fy mysedd. Pa fath o awyren yw hi, pryd y'i hadeiladwyd, a gofrestrwyd hi i'r cwmni presennol – hyd yn oed faint o bobol sy'n hedfan ynddi. Fe allwch chi deimlo'n flin drosti – drwy daro'r dewis 'history' gallwch weld rhestr o'i theithiau dros y dyddie cynt (pŵr dab â hi). O gofio bod awyrennau'n colli arian tra maen nhw'n segur, mae'n syndod, os nad yn arswydus, faint o filltiroedd mae awyrennau yn eu hedfan mewn wythnos. Yr unig bwynt trafod bellach yw pa liw yw pants y peilot. Erbyn yr ypdet nesa, fentra i y

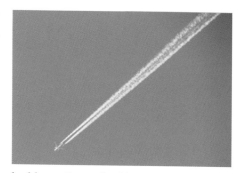

byddwn ni'n gwybod hynny hefyd, wedyn fydd dim i'w drafod. Adnodd anhygoel, yndife, ond un cwbwl ddibwys, wrth gwrs, oni bai eich bod chi ar eich ffordd i gyfarfod rhywun yn y maes awyr – ond mae e'n hwyl, ac mae'n ein cysylltu ni feidrolion ar wyneb daear â'r wyrth o hedfan.

Flynyddoedd yn ôl, ar ddiwedd yr wythdegau, fe deithion ni i Awstralia i aros gyda ffrindiau yn Sydney, ac ar y ffordd yn ôl, er mawr syndod i mi, roedd yr awyren yn stopio am amser byr yn y Maldives. Bryd hynny, cyn i'r ynysoedd gael eu datblygu'n gyfres o westai moethus, prin oedd gyda nhw faes awyr, ac roedd y *terminal* yn debycach i shed. Cafodd pob cylchgrawn sylw trylwyr gan wŷr y *Customs*, a phob hysbyseb oedd yn dangos croen noeth yn cael ei rwygo allan cyn dychwelyd y cylchgrawn yn gwrtais.

Dechreuais ddychmygu swyddfa rhyw uwch-swyddog wedi'i phapuro o'r llawr i'r nenfwd â hysbysebion dillad isa ... ond fy mreuddwyd i oedd hynny. Ta beth, wrth i ni gerdded allan ac edrych lan ar y Boeing 747 ar y llain lanio, fe fues i'n ddigon ffôl i leisio fy syndod.

'Mae'r talp anferth yna o haearn yn mynd i'n cludo ni yr holl ffordd yn ôl i Brydain. Yn'dyw hynny'n anhygoel?'

Ateb y mab chwe mlwydd oed oedd, 'Awyren yw e, Dad, dyna beth mae e fod i neud.'

Diolch. Oes rhywun wedi gweld y naddwr pensiliau yna'n rhywle?

Crŵs **Mawrth 2015**

A f'ymddeoliad yn brysur agosáu (dyw e ddim cweit mor agos â hynny, ond gall dyn freuddwydio) fe fydda i, o bryd i'w gilydd, yn byseddu drwy lyfrynnau llongau crŵs, a darllen yn uchel i'r wraig gael clywed.

'... Stopio yn Fiji, hwylio dros nos i Bora Bora cyn symud ymlaen i Tahiti ...' cyn sadio, a dychwelyd at yr hwfro.

Mae llongau crŵs nawr yn dod i borthladd Caergybi. Roedd arwydd tu allan i Fangor flynyddoedd yn ôl yn datgan yn ymffrostgar: 'Bangor, the Athens of North Wales'. Sgwn i ai Caergybi yw Bora Bora Ynys Môn erbyn hyn? O'r hyn rwy'n ddeall, amser byr iawn mae'r teithwyr yn ei gael i fwynhau pleserau niferus Caergybi. Mae'r bysys yn refio yn y maes parcio wrth i'r llongau gyrraedd, er mwyn cludo'r teithwyr ar ras wyllt i ryw gastell, neu ar drên yr Wyddfa neu i fyny i Blaenau, cyn eu pacio nhw'n ôl ar y llong a bant â nhw i'r paradwys nesa.

Er y bydden i'n hoffi gweld rhai o'r llefydd hudolus yma, dyw dydd fan hyn ac un arall fan draw yn dda i ddim i mi, ac yn hynny o beth fydde'n well gen i fynd ar daith â dechrau a diwedd pendant iddi, a dim ond teithio rhwng y ddau. Trip i Efrog Newydd falle. Cwpwl o ddyddie â'ch traed lan ar y dec cyn cyrraedd prysurdeb y ddinas. Pwy ddwedodd mai'r daith yw'r gwyliau, nid y cyrraedd? Wn i ddim. Ond dyna sy'n apelio ata i, beth bynnag. Ond dim ond breuddwyd yw honno, ac un bell, bell hefyd.

Ta beth, lansiwyd honglad arall o long gan y frenhines yr wythnos diwetha, Britannia arall, fel mae'n digwydd, a bedyddiwyd hi â Nebuchadnezzar o *fizz* Seisnig. Rhag ofn nad y'ch chi'n gyfarwydd â meintiau poteli Champagne, mae Nebuchadnezzar yn botel sy'n cynnwys

pymtheg litr, neu gwerth ugain potel gyffredin. Oes pwynt agor unrhyw beth llai, gwedwch? Pam ei alw ar ôl adeiladwr gerddi crog Babylon, wn i ddim, ond dyna ni. Fe chwalodd y botel ar drwyn y bad a'r Cwîn wrth ei bodd, yn ôl y sôn, a dagrau o lawenydd yn ei llygaid (naill ai hynny neu'r *back-splash* o'r shampŷrs). Ar ei thaith o gwmpas y bad, sy'n cynnwys pymtheg llawr, gyda llaw, a theatr a bron i fil o seddau (ydi hynny'n fwy na Pontio dwedwch? Wel, o leia mae Britannia wedi'i gorffen) datgelodd y frenhines, 'The first time I ever saw white bread was on board the old Queen Elizabeth; it was fascinating.' Gallaf ddweud a'm llaw ar fy nghalon 'mod i erioed wedi cael fy nghyfareddu gan fara gwyn, ond dyna lle dwi 'di bod yn mynd yn rong, mae'n rhaid. Cliriwch y gang-planc.

'Caergybi, *here I come*!'

Berlin **Tachwedd 2014**

Mae'n bum mlynedd ar hugain ers i wal Berlin gael ei dymchwel. Am 11.30 ar y nawfed o Dachwedd 1989, rhoddodd Lt Col Harald Jager y gorchymyn i agor y gatiau a chaniatáu i'r miloedd oedd wedi ymgynnull ar ochor ddwyreiniol y wal lifo drwyddo i Orllewin Berlin – ac i bob pwrpas, i ryddid. Doeddwn i ddim yno ar y pryd, ond fe fues i bob blwyddyn o 1983 hyd at 1989. Roedd Angela Merkel yn un o'r miloedd. Mae 'na stori, mae'n debyg, fod y newyddion wedi cyrraedd BBC Cymru wrth i'r bwletin hwyr ar S4C ddechrau, ond bod y cynhyrchydd wedi dweud nad oedd lle yn y rhaglen, a bod dim posib gollwng y stori am asyn teircoes o Garmel ... y math yna o beth. Mae'n amheus gen i fod hynny'n wir.

Am bron i ddeng mlynedd ar hugain, doedd dim posib i frodorion o ddwyrain y ddinas ymweld â'r gorllewin, ond fel ymwelydd, roeddwn i'n rhydd i deithio drwy'r hyn a elwir yn Checkpoint Charlie – lleoliad amryw o gyfnewidiadau tywyll

rhwng asiantau cudd y dwyrain a'r gorllewin. Er mwyn gwneud hynny roedd rhaid i ni newid deng Deutchmark ar hugain gorllewinol am ddeng Deutchmark ar hugain dwyreiniol. Roedd y gwahaniaeth yn y gwerthoedd yn anferthol: ar ôl bwyta bron popeth ac yfed cryn dipyn o fwydlen y bwyty tro ar ben y tŵr yn Alexandra Platz, roedd newid gen i wrth ddychwelyd dros y ffin. Ac wrth agosáu at Checkpoint Charlie o'r Dwyrain, roedd goleuadau neon y gorllewin yn sgrechian eu neges gyfalafol dros y wal i dywyllwch llwm y dwyrain. Dyma'r olygfa greulon roedd y comiwnyddion wedi'i diodde ers bron i ddeng mlynedd ar hugain.

Roedd Gorllewin Berlin wedi'i hynysu yng nghanol yr Almaen Gomiwnyddol – yn oasis o gyfalafiaeth ers i'r wal gael ei chodi yn y 60au cynnar – felly teimlad swreal iawn oedd i'r ddinas yn y cyfnod. Un ochor yn anfoesgar o foethus a chyfoethog, yn ymffrostio yn ei chyfalafiaeth, a'r ochor arall wedi'i sgwrio o bob addurn. Profiad diddorol iawn i berson estron fel fi oedd ymweld, heb unrhyw bwynt i'w brofi yr un ffordd na'r llall. Oedd, roedd creulondeb a thristwch, ond roedd ffiniau'r ddinas yn gwegian â hanes hyd yn oed cyn i'r Wal gael ei chodi. Roedd y tyllau bwledi ym mhob hen adeilad yn dyst i hynny. Gwelwyd ymgyrch bwrpasol i dywallt arian i mewn i Orllewin Berlin i gynnal y ddelwedd gyfoethog trwy wahodd ieuenctid y gorllewin i ddod yno i weithio – sicrhau proffil bywiog a byrlymus, doed a ddelo, i Orllewin y ddinas.

Ffordd arall o ddenu sylw gweddill y byd oedd drwy gynadleddau a gwyliau rhyngwladol. Dyna, yn syml, pam ro'n i yno. Yn un o'r llif cyson o ymwelwyr oedd yn cyrraedd yn wythnosol i chwyddo'i phresenoldeb a sicrhau ei phwysigrwydd ledled y byd.

A'r ddinas nawr yn gyfan unwaith eto, mae hynny'n dal i ddigwydd. Fues i ddim ar gyfyl y lle am bron i ugain mlynedd. Fy marn drahaus oedd, 'be sy gan y ddinas yma i'w gynnig nawr, a'i nodwedd fwyaf amlwg a diddorol wedi mynd?' Ond rwy wedi bod yn ôl sawl gwaith yn ddiweddar a chael fy nghyfareddu gan y ddinas am yr eilwaith, a rhyfeddu at allu'r bobol i godi unwaith eto o gysgod angau. Ychydig a wyddai Lt Col Harald Jager y bydde'r weithred o agor y llifddorau (penderfyniad a wnaeth heb unrhyw arweiniad uwch) wedi cael cymaint o effaith ar weddill Ewrop, ac y bydde'r rhan o'r ddinas roedd y llengoedd yn ysu i ddianc ohoni bum mlynedd ar hugain yn ôl, erbyn hyn, yn gyrchfan i ymwelwyr o bob cwr o'r byd. Nid cymaint oherwydd yr hanes, ond oherwydd mai'r hen ddwyrain yw calon newydd liwgar y Berlin fodern. A'r gorllewin? Braidd yn ddi-fflach. Nid yn llwm, ond wedi colli'i phwrpas i ryw radde. Rhyfedd o fyd.

Tom and Jerry   **Hydref 2014**

Flynyddoedd yn ôl, cyn i'r Wal ddod i lawr, ro'n i yn Gabrovo, Bwlgaria, ar ran Radio Cymru. Roedd hyn cyn diwedd comiwnyddiaeth, a finne'n gwneud adroddiad ar 'Wyliau ym Mwlgaria'. Ro'n i ar ben fy hun gydag arweinydd taith o swyddfa dwristiaeth y wlad (dyn a fyddai'n stopio bwyta yng nghanol ei bryd i danio sigarét, a'i gorffen hi, cyn dychwelyd at ei fwyd) a gyrrwr tacsi o'r enw Kasim o dras Twrcaidd, oedd yn cael dim parch o gwbwl, druan ag e. Yn draddodiadol does dim lot o Gymraeg rhwng Twrci a Bwlgaria. Beth o'n i'n wneud yno eto? Rhaglen wyliau Radio Cymru. Do, fe glywsoch yn gywir. Ro'n i'n cael mynd i'r llefydd doedd neb arall o'r swyddfa eisiau mynd – Bwlgaria yn un a Luxembourg yn un arall, ond stori arall yw honno.

Ar ein pumed diwrnod yn teithio o gwmpas y wlad yn y tacsi fe gyrhaeddon ni Gabrovo, a'r Amgueddfa Hiwmor yno. Mae'r cysyniad yn dal i fod yn benbleth i mi, ond dyna oedd e. Degau o stafelloedd a chartŵns wedi'u fframio ar y wal, y rhan fwyaf ohonyn nhw yn dod o wledydd Cytundeb Warsaw fel ag yr oedd e; rhai o Ewrop, rhai o Brydain, ambell un o'r Unol Daleithiau … rhyw fath o amgueddfa 'difyr am ddeng munud'. Ond wrth gerdded o gwmpas clywais sŵn chwerthin plant yn dod o rywle, reit yn y pellter, ac wedi chwilio a chwilio, gwelais griw o blant, wedi stwffio'u hunain i soffa PVC mewn cornel anghysbell o dan ryw risiau, yn chwerthin nerth eu pennau ar gartŵn *Tom and Jerry*. Roedd traul degawdau ar y tâp, oedd yn cael ei chwarae ar beiriant oedd yn ddigon mawr i ddyblu fel wardrob, ond doedd dim posib ffrwyno'r llawenydd – ac i fod yn deg, doedd neb yn ceisio gwneud hynny chwaith.

Mae hiwmor *Tom and Jerry*, fel *Pingu*, yn oesol ac yn ddi-ffin. Pasiwyd y llawenydd ymlaen i mi gan fy nhad pan oedd cartwnau *Tom and Jerry* yn bethau amheuthun ar bnawn Sadwrn, a'r cylch beiro coch o'i gwmpas yn y *Radio Times* yn arwydd o'i bwysigrwydd. Am y pum munud rheiny roedden ni i gyd yn hapus ac yn cyd-chwerthin. Fe wnes innau yn yr un modd gyda fy mhlant i. Does dim yn fwy diniwed.

Nid felly mohoni mwyach. Os y'ch chi'n gwylio *T and J* drwy wasanaeth ffrydio Amazon fe fyddwch chi'n ymwybodol o'r rhybudd ei fod e'n hiliol. Mae unrhyw beth a grëwyd ddegawdau yn ôl wedi ei sylfaenu ar foesau'r dydd yn hytrach na'n moesau ni heddiw. Allwn ni ddim ailysgrifennu hanes achos nad ydyn ni'n licio'r ffordd droiodd pethau ma's, ddim ufflyn yn fwy nag y gall David Cameron ymddiheuro am gamweddau llywodraethau canrifoedd ynghynt. Ac os oes rhywun wedi gweld tuedd hiliol yng nghynnwys *Tom and Jerry* erioed, gallaf ddweud â'm llaw ar fy nghalon na weles i e (fe fentra i ychwanegu na welsoch chithau e chwaith). Mae diniweidrwydd yn beth prin ar y gorau y dyddie 'ma. Mae diniweidrwydd sy'n pontio ffiniau a diwylliannau yn brinnach fyth. Mae digon o gonglfeini hwyl ein plentyndod eisioes wedi'u dymchwel. Peidiwch â staenio *Tom and Jerry* yn yr un modd.

Rhydaman International

'Cheap flights from Ammanford – Looking for the Best Ammanford Rates?'

O safle swyddogol Microsoft y daw'r pennawd hwn. Mae rhywun (neu, o bosib, rhywbeth) yn eistedd mewn canolfan anferth ben arall y byd yn cofrestru pob clic a phob cnec ry'n ni'n wneud ar y we, a cheisio teilwra'r wefan i gyfeiriadau fydde'n debygol o apelio aton ni. Rwy'n byw yn o agos i Rydaman: mae'n rhesymol felly, 'tawn i'n meddwl am hedfan, y byddwn i'n ystyried hedfan o Rydaman. Mae hyn i gyd yn hynod o hwylus, ac fe alle wneud fy mywyd jet-setaidd i gymaint yn haws, oni bai am un ffaith fach ddibwys.

I'r rhai ohonoch chi, fel finne, sy'n aros yn eiddgar am wybodaeth am deithiau hedfan o Rydaman i bellafion byd, aros fyddwn ni. Hyd y gwn i, dyw datblygiad o'r fath ddim ar restr *to do* Carwyn Jones ... a pham ddyle fe fod? Ry'n ni, gyd-Gymry, yn berchen ar un maes awyr yn barod. Ond ag aelodau seneddol Torïaidd yn cwympo fel *ninepins* dros ymestyn maes awyr Heathrow, a'r holl ddadleuon tanllyd am ddifa pentrefi er mwyn agor llain lanio arall, fe allen nhw wneud llawer gwaeth nag ystyried Rhydaman. A chan 'i fod e mor agos i'r Betws, pa enw gwell ellid ei roi ar Faes Awyr na 'Y Byd a'r Betws' (International). 'Sdim *un* llain lanio yn Sir Gaerfyrddin, heb sôn am dair (oes un ym Mhen-bre, falle?). 'Taen nhw'n dod i'r gorllewin, fydde 'na ddim cwyno o gwbwl, dim ond gorfoledd. Yn wir, gallaf warantu y bydde Cyngor Sir Caerfyrddin yn fodlon symud y Bannau i ganiatáu maes awyr cyfan. Ond mae'n siŵr y bydde'n rhaid aros am ganrif cyn y byddai wedi'i gwblhau.

Pan fuon ni yng ngogledd Sbaen ddwy flynedd yn ôl, fe'm trawyd gan y datblygiadau dychrynllyd yn eu systemau trafnidiaeth. Heb air o gelwydd, bob pum neu chwe milltir roedd ffyrdd newydd yn cael eu codi, traphontydd yn hedfan dros ddyffrynnoedd llydan, twneli di-ri yn

Fi, Ifan a Mabon yn sglaffio yn Sbaen, 2015

diflannu mewn i fynyddoedd. Symudwyd afonydd ac ailgynlluniwyd cymoedd er mwyn gwneud lle i draffyrdd newydd. Hyn oll, rwy'n tybio, ag arian Ewrop. Ry'n ni yma yng Nghymru yn dal i aros am adnewyddiad un hewl fawr o'r de i'r gogledd (fydd ddim yn draffordd) sef yr A470 newydd, ac er cymaint fydd y gwellhad, a'r gostyngiad mewn amser teithio, fydd e'n dal i fynd drwy Flaenau Ffestiniog hyd y gwela i. 'Sgen i ddim yn erbyn Blaenau na Ffestiniog, ond mae'n sicr yn mynd i arafu'r daith ar hyd prif hewl gyswllt y wlad. Ac yn y cyfamser, mae'r Llywodraeth wedi gwario swm go sylweddol dim ond yn clebran am ba lwybr ddyle ffordd osgoi yr M4 gymryd.

Yn Llandeilo, trafodwyd y syniad o ffordd osgoi i'r dre gant a dwy o flynyddoedd yn ôl, mae'n debyg. Ers hynny, mae'r bont ryfeddol a godwyd yng nghanol y bedwaredd ganrif ar bymtheg i gario ceffylau a cheirt wedi hebrwng miliynau o gerbydau gan gwaith trymach dros afon Tywi ac i fyny'r bryn i ganol y dref. Dros ddegawd yn ôl roedd lefelau llygredd yng nghanol y dref (ar adegau penodedig) yn anghyfreithlon o uchel. Ac eto ry'n ni'n dal i aros. Rwy'n credu y bydda i'n esgyn o Byd a'r Betws

(International) cyn y caiff honna'i chwblhau. Ac yn fy llaw, neu wrth fy nghwt, o bosib, bydd ces sy'n cerdded ...

Ces sy'n cerdded   **Tachwedd 2016**

Mae'n debyg bod rhywun newydd ddyfeisio siwtces sy'n eich dilyn chi o gwmpas heb i chi orfod 'i dynnu e. Y syniad yw eich bod chi'n 'clymu' (yn yr ystyr electronig) eich ces i'ch ffôn symudol, a bydd y peiriant sy ym mhen-ôl y ces yn dilyn y signal. O ganlyniad, fe fyddwch chi'n gallu sgubo mewn i unrhyw faes awyr neu orsaf drenau yn y byd ac fe fydd y ces yn dilyn yn ufudd wrth eich sodlau, fel ci defaid. Dyna'r egwyddor. Ond o 'mhrofiad i, nid y cesys yw'r broblem pan y'ch chi'n teithio, ond y teulu.

Flynyddoedd yn ôl roedd yna sgetsh ar *The Fast Show* yn portreadu tad yn llusgo'i blant a'i wraig ar ruthr o un tyrminal i un arall gan weiddi 'C'mon, c'mon'. Dyna'n unig oedd e. Ac roedd e'n gwneud i mi gorco chwerthin bob tro. Pam? Achos mai fi yw'r person yna. 'Taen ni ond yn gallu rhoi tship a pheiriant ym mhen-ôl bob plentyn i wneud iddyn nhw ddilyn yn ddi-gwestiwn ... nawr, fe fydde hynny'n gam anferth ymlaen.

Ta beth, y broblem fwya, mae'n debyg, fydd y signal hollbwysig. Fel y gwyddoch chi, does gen i ddim lot o barch – na deallwriaeth – o ddirgel ffyrdd y rhyngrwyd na'i amryw gysylltiadau. Ond tra o'n i'n eistedd yn Stadiwm y Principality yn gwylio gêm rygbi, fe fethes i wneud galwad ffôn er gwaetha pum bloc cyfan o signal. Y cwestiwn amlwg yw pam ro'n i'n ceisio gwneud galwad ffôn yn ystod gêm ryngwladol. Wel, a dweud y gwir, ffonio i rannu'r ffaith ei bod hi'n gêm mor drybeilig o sâl oeddwn i.

Y rheswm pam na fu'r alwad yn llwyddiannus, yn ôl fy ffrind drws nesa, oedd 'dim digon o Bandwidth'. Na. Na finne. Nid faint mae lastic eich trôns chi'n fodlon ymestyn cyn torri yw e, ac allwch chi ddim 'i brynu e wrth y pownd chwaith, mae'n debyg. Rhywbeth i wneud â'r niferoedd sy'n defnyddio'u ffonau yn yr un ardal ar yr un pryd â chi. Oedd pawb yn y Stadiwm yn awyddus i rannu eu diflastod torfol, tybed? Ond yn bwysicach, os bu lle erioed yn byrlymu â phobol a ffonau symudol, meysydd awyr a gorsafoedd yw'r rheiny.

Yr wythnos yma'n unig, rwy eisoes wedi derbyn, drwy'r 'ether', fanylion cyfrifon cwmni nad oes gen i ddim cysylltiad â nhw o gwbwl, a hynny heb ofyn, heb sôn am ddegau o gynigion gan ferched siapus iawn sy'n fy nghyfarch wrth fy enw cynta (er na alla i gofio ymhle rwy wedi'u cyfarfod nhw) ac yn cynnig diosg eu dillad o 'mlaen i – eto, heb i mi ofyn. Rhowch e fel hyn, petai rhywbeth yn digwydd i'r ymbilical anweledig hwnnw rhwng eich ces a'r ffôn, fe alle chi fod ar y ffordd i Berlin a'ch ces i Bora Bora. Efallai y byddai gwyliau neu signal ffôn rhywun arall yn fwy deniadol i'r ces, a bant â fe am ychydig o sbri.

Rai blynyddoedd yn ôl, cyn oes ffonau symudol, fe es i i Awstralia, ond aeth fy nghes i Tashkent. Fu e byth 'run fath ar ôl hynny.

Pennod 3. Beth??

Beth ddigwyddodd i Synnwyr Cyffredin, gwedwch? **Mehefin 2016**

Fe es i i'r llythyrdy yr wythnos diwetha. Dyw hon ddim yn frawddeg sy'n cael ei dweud yn aml erbyn heddi, heblaw gan bensiynwyr. Mae cymaint ohonon ni nawr yn gwneud ein cysylltu dros y we, prin bod angen tywyllu Swyddfa'r Post. A'r wraig ar ei ffordd i rywle yn y car (mae'n fenyw ar y ffordd i rywle'n aml), fe ofynnodd hi i mi ddanfon parsel iddi – anrheg pen-blwydd oedd angen ei bwyso.

Felly ffwrdd â fi i'r post.

'Beth sydd yn y parsel?' Doedd gen i ddim syniad.

'Oes ots? Anrheg i ffrind yw e.'

'Oes. Mae'n rhaid gwybod yn fras beth sydd ym mhob parsel neu gaiff e ddim 'i ddanfon.'

O ystyried bod anrhegion yn gallu bod yn bethau personol, 'wy ddim yn siŵr y bydden i'n fodlon dweud yn gyhoeddus o flaen twr o bobol beth oedd yn y parsel, 'tae e'n rhywbeth 'sensitif'. Fel mae'n digwydd, doedd gen i *ddim* syniad beth oedd cynnwys y parsel, felly 'nôl adre â fi i ffonio'r wraig a gofyn beth oedd e.

'Pam?'

'Achos bod rhaid i Swyddfa'r Post wybod, cyn ei ddanfon, ac o bosib, (gan eu bod nhw'n reit ffysi) beth yw ei werth e hefyd.'

'Wy ddim yn siŵr oedd yr ail gymal yn angenrheidiol, ond fe ofynnes i beth bynnag, rhag ofn mai dyna fydde cwestiwn nesa'r bostfeistres. Do'n i ddim eisiau dod 'nôl i'r tŷ i ffonio eilwaith. Ta beth, fel mae'n digwydd, roedd e'n barsel digon diniwed a pharchus. 'Nôl â fi i'r Swyddfa Bost. Erbyn hyn ro'n i wedi dechrau dychmygu sgwrs ehangach gyda'r bostfeistres am natur perthynas y wraig a'i ffrind – 'pwy mor agos y'ch chi? Yw'r fath yna o anrheg yn addas? Dyw'r swm yna ddim yn lot …'. Bydde pobol yn y ciw yn sgwrsio â'i gilydd – '*Scandalous!* 'Na i gyd mae hi 'di rhoi?' ac yn blaen. Ffrwyth dychymyg yn unig, diolch i'r Iôr.

Fe ofynnes i iddi pam roedd angen iddyn nhw wybod y manylion hyn. Achos roedd yna restr o bethau doedd dim hawl eu danfon drwy'r post, meddai. Es i ddim i fanylu. Ond wedi cyrraedd adre fe es i edrych ar y we. Mae'n amlwg y bydd angen ail-strwythuro'r rhestr anrhegion Nadolig eleni. Ymhlith yr eitemau sydd wedi'u gwahardd mae *Party Poppers,* ochr yn ochr â Nitroglycerine, y ffrwydryn mwyaf ffrwydrol yn hanes ffrwydriadau ffyrnig. Fiw i chi gymysgu'r ddau yna ym mharti Nadolig yr ysgol Sul. Allwch chi ddim danfon unrhyw beth ymbelydrol, dryllau, cyllyll, nwyon nac ychwaith feirws afiechydon heintus megis Anthrax, Clwy'r Traed a'r Genau, ac yn y blaen. Oni bai bod rhain i gyd ar y rhestr, sut fyddech chi'n gwybod i beidio â'u danfon drwy'r post? A gadewch imi arbed siwrne wast ichi – os y'ch chi ar y ffordd ma's drwy'r drws i ddanfon dos o Ebola i rywun, man a man i chi droi'n ôl. Siom o'r mwya i mi oedd na chewch chi ddanfon llwch y meirw drwy'r post. Wel, dyna *novelty eitem* tombola'r Cylch Cinio wedi mynd hefyd. Fe gewch chi ddanfon llythyrau a pharseli o hyd, wrth gwrs, ac mae'n amlwg nad oes gwaharddiad ar *flyers* siopau mawrion, biliau, cylchlythyr y Cyngor a pha bynnag rwtsh arall sy'n dod drwy'r drws. Fe fydde Ebola yn fwy diddorol.

Beth sy mewn lliw?   **Medi 2015**

Rwy'n cofio, flynyddoedd maith yn ôl pan o'n i yn y coleg yng Nghasnewydd, fe ddaeth tîm rygbi'r All Blacks ar daith i Gymru, a chan fod cae Rodney Parade bron drws nesa i'r coleg, fydde hi 'di bod yn ddigwilydd, bron, i beidio mynd i'r gêm. Ond nid Casnewydd oedden nhw'n chwarae, ond tîm cyfansawdd o Sir Fynwy a allai alw ar wasanaeth chwaraewyr o Gasnewydd, Glyn Ebwy ac Abertyleri – ond yn bwysicach, Pontypŵl. Dyma i chi dîm, felly, oedd yn cynnwys nifer o gewri tîm Cymru'r cyfnod. Y *Pontypool front row* yn ei gyfanrwydd, David Burcher, cefnwr/canolwr i Gasnewydd, i Gymru ac wedi wynebu'r All Blacks y flwyddyn cynt

gyda'r llewod; Arthur Lewis o Abertyleri, canolwr i Gymru a Llewod 1971; Terry Cobner o Bontypŵl, a Chymru a'r Llewod y flwyddyn cynt – ac roedd 'na fwy. Y'ch chi'n deall be sy 'da fi? Nid tîm te parti oedd hwn. Fe ddaeth yr awr. Ma's i'r cae y daeth y Crysau Duon yn llawn düwch digyfaddawd, ac yn fuan wedyn, tîm sir Fynwy. Crysau glas golau a choleri gwyn, shorts gwyn a sanau glas golau oedd â thopiau gwyn iddyn nhw. O, *bless*. Do'n i ddim cweit yn siŵr oedden nhw'n mynd i chwarae rygbi neu fwrw mewn i Ddawns y Blodau. Fe gawson nhw stwffad. Ro'n nhw 'di colli cyn cyrraedd y cae.

'Dyw du ddim yn lliw go iawn, wrth gwrs, ddim yfflyn yn fwy nag yw gwyn, ond does dim rhaid iddo fe fod. Mae'r ddelwedd yn ddigon, yn sicr felly yng nghyswllt y tîm rygbi hwn. Mae 'na stori am yr athrylith rygbi hwnnw, Clive Griffiths, wrth annerch chwaraewyr Cymru cyn wynebu'r All Blacks, yn tynnu crys swyddogol y Crysau Duon o'i fag, gan ddweud rhywbeth i'r perwyl hwn: '... edrychwch ar y crys yma. Mae ganddo ddwy fraich a thwll i roi eich pen drwyddo, a dyw e ddim tamed yn fwy na'r crys ry'ch chi'n wisgo. Os chwaraewch chi'r crys, fe gollwch chi. Ar y llaw arall, os chwaraewch chi yn erbyn y gŵr sy'n 'i wisgo, fe enillwch chi.' 'Wy ddim yn dweud bod y Crysau Duon yn rybish – yn wir, maen nhw'n hynod o lwyddiannus – ond mae rhan o'r llwyddiant hwnnw'n deillio o'r hyn welais i ar faes Rodney Parade bron i ddeugain mlynedd yn ôl. Y ddelwedd ry'n ni'n ofni; ry'n ni wedi credu'r heip ers degawdau, ac maen nhw hefyd yn credu'r heip, ond mewn gwirionedd maen nhw mor ddynol â chi a fi. Edrychwch ar gamp tîm Japan, yn llwyddo i guro tîm roedd rhai yn amau alle ennill Cwpan y Byd eleni, sef De'r Affrig. Allwch chi gyfri ar un llaw, bron, sawl gêm mae Japan wedi'u hennill yn y gystadleuaeth yma dros y blynyddoedd; mae De'r Affrig wedi codi'r gwpan, a naw o'r sgwad presennol yn chwarae pan enillon nhw. Does gan Japan ddim chwaraewr dros chwe troedfedd a thair modfedd; 'wy ddim yn credu bod llawer o dîm De'r Affrig o dan y taldra yna (ar wahân i ambell brop a Brian Habana), ac eto mae record Japan yn y leiniau'n well na neb. Fe fyddai'n demtasiwn gan rai i ddweud, 'Do, fe chwaraeodd Japan yn dda, ond doedd y Springboks 'na ddim yn trio.' Y'ch chi'n meddwl y bydde De'r Affrig yn meiddio gwneud y fath beth? Na. Fe gafon nhw eu trechu gan dîm sy'n ymhyfrydu yn yr enw Brave Blossoms, ac yn chwarae mewn kit a streipiau pinc arno.

Mae delwedd ond yn cyfri ... os y'ch chi'n caniatáu iddo fe gyfri.

Beth yw mesur glas y nen?

Ionawr 2016

Newyddion mawr yr wythnos. Na, nid bod Sawdi Arabia wedi banio gwyddbwyll (er mor ysgytwol yw'r newyddion hynny ar lefel ryngwladol: y twyll, y gamblo ... gwaeth na thennis mae'n debyg!). Nac ychwaith bod ymchwilwyr Coleg Prifysgol Caergrawnt, hufen academaidd ein gwlad, wedi dod i'r canlyniad, wedi blynyddoedd o ymchwil, nad oes posib i Spiderman gerdded i fyny waliau, yn bennaf achos bod 'i draed e ddim yn ddigon mawr nac yn ddigon stici. Dwy stori a alle fod wedi llenwi'r golofn yma heb ddim trafferth. Na, mae e'n fwy na'r rheina. Fel mater o ffaith mae e ddeg gwaith yn fwy na'r byd. Ie, stori fawr iawn! Mae yna nawfed planed yn ein galacsi ni. Wedi'i bedyddio'n barod – Planet Nine. Mae seryddion yn bobol hynod o glyfar, ond yn anffodus s'dan nhw *ddim* dychymyg. Wn i ddim amdanoch chi, ond rwy'n teimlo'n fwy cyflawn nawr, rywsut. Rwy wedi byw fy mywyd yn ddigon

diddig yng nghwmni wyth planed erioed, ond eto roedd 'na rywbeth, rhyw deimlad bod 'na wagle heb ei lenwi ... darn o'r jigsô tragwyddol wedi slipo lawr cefn y soffa selestaidd, fel petai.

'Ond lle mae hi 'di bod, gwedwch?'

'Wel, dyw hi ond yn cylchu'r haul bob rhyw ddeg i ugain mil o flynyddoedd ... ish.'

'Maddeuwch i mi am godi amheuaeth, ond mae'r amcangyfrif yna o lwybr ac amseriad Planet Nine yn swnio braidd yn niwlog (ac o bosib fe alle fy nain gylchu'r haul yn gynt!).

'A, ie, wel, dy'n nhw ddim yn gwybod lle mae hi ar y foment ... mae 'na lot o ddüwch ma's 'na, chi'n gwybod. Dyw e ddim fel colli swllt yng nghornel eich poced. O na!'

'Ond os yw hi o fewn tynfa ddisgyrchol yr haul, mae'n rhaid bod gyda chi *ryw* fath o syniad lle ma' hi ar y gylchdaith?'

'Wel, ma' hi'n cwato ma's yn y Kuiper belt, mas tu draw i Pluto.'

'O, rwy'n gweld ... neu'n hytrach, 'wy ddim yn gweld. Ma' Pluto byti fod yr un maint â Sir Fôn! Ma' hi mor fach fel bod rhai yn amau a yw hi'n blaned o gwbwl, ac mae'n amlwg eich bod chi'n gallu gweld honno heb ddim trafferth, felly ddyle bod Planet Nine, sy gan gwaith yn fwy, fod yn eitha gweladwy?'

'Fysech chi'n meddwl, na fysech chi? Ond dyw hi ddim.'

'Y'ch chi'n gwybod pan ffindioch chi hi, wnaethoch chi ddim meddwl gwneud cofnod o lle oedd hi ar y pryd?'

'Pwy wedodd bo' ni wedi'i ffindo hi?'

'Reit. Ydw i'n iawn yn meddwl bod *neb* wedi gweld y blaned yma eto?'

'Wel, yn dechnegol, ydych.'

'Diolch yn fawr, dydd da i chi!'

'Ond! ry'n ni'n gwybod 'i bod hi yna. Ry'n ni mor hyderus, ry'n ni 'di rhoi enw arni hi.'

'Do, sylwes i. Os yw maint eich hyder torfol chi yn gyfartal â'r holl ddychymyg a ddefnyddiwyd i enwi'r blaned, 'dyw hi ddim yn argoeli'n dda, ydy hi?'

'Ry'n ni ond yn aros i'r bois â'r telesgôps mawr i gadarnhau ...'

Nôl ar drothwy'r bedwaredd ganrif ar bymtheg yn Awstralia, a neb ond y brodorion gwreiddiol wedi troedio ar draws y cyfandir, lluniwyd mapiau gan y dyn gwyn yn dangos afonydd Amasonaidd yn llifo'n rymus trwy'r canoldir, er nad oedd gyda nhw dystiolaeth fod yna afonydd yna o gwbwl; achos allen nhw ddim amgyffred, mewn tir mor fawr ac eang, nad oedd dŵr o gwbwl yno.

Does dim patrwm rhyddmig i'r gofod hyd y gwelai i. Jyst achos bod *gap* rhwng y planedau (a '... W! Fydde fe'n neis cael un arall, na fydde fe?') dyw e ddim o anghenraid yn meddwl 'i fod e'n wir. Dyn a ŵyr, mae 'na ddigon o ddewis yn barod heb i ni greu mwy.

Teimlo'r gwair   **Mehefin 2015**

Mae'n anodd credu, gydag anwariaid ISIS bedwar can milltir o lannau'r Eidal, creisis ar ôl creisis yn yr NHS, bwlio yn rhai o ysgolion y brifddinas, Morgannwg yn ennill dwy gêm ar y trot, Cymru yn curo Gwlad Belg, heb sôn am gant a mil o achosion eraill a alle fod wedi llenwi'r papurau newydd, fod 'na le i stori am noethlymundod ar ben rhyw fynydd yn Borneo. Pwy ohonon ni sy heb gael ein temtio i chwifio'n fej i'r pedwar gwynt, wedi cyrraedd pegwn, fel petai. Wel, fi yn un. Ond alla i ddeall yr egwyddor. Prynhawn dydd Sul, pan oedden ni ma's am dro yn cerdded drwy'r caeau, tynnodd y wraig ei sgidiau, 'i deimlo'r gwair rhwng bysedd fy nhraed' medde hi. Ai ond pen arall yr un polyn yw hyn? 'Tae'r wâc wedi bod hanner awr yn hwy, fe fydde hi wedi bod yn sboncio'n borcyn drwy'r meysydd fel Impala gwancus. Sawl orji sydd wedi

dechrau â'r ysfa i deimlo'r gwair rhwng bysedd eich traed? Fel yr oedd hi, aeth hi ddim pellach na diosg 'i sandals. Fe oedd hi'n bnawn Sul, wedi'r cyfan.

A fydden ni wedi clywed gair am y digwyddiad hwn yn Borneo oni bai am y ffaith fod y ferch yn Saesnes olygus, beniog? Fe daflwyd rhyw stori fod ei phorcyndod wedi cynddeiriogi'r ysbrydion gymaint fel bod y ddaear wedi ffrwydro â chynddaredd a lladd deunaw o bobol. BINGO! *Front pager*, a does dim yn gwerthu papur newydd yn gynt na phrofi bod rheiny sy'n byw dros y dŵr yn llai soffistigedig na ni. Rwy'n deall bod rhai yn teimlo'n anghyfforddus â noethni, er mai noethni yw'r norm mewn rhai rhannau o'r wlad o hyd, a rwy'n deall i'r Saesnes yma a'i ffrindiau ymddwyn yn ansensitif tuag at ddiwylliant y wlad, ond i aelod o'r llywodraeth honni mai bwganod anniddig fu'n gyfrifol am y daeargryn, yn ymateb i noethlymyndod y ferch yma – wel, mae'n amser i dynnu'r angor lan, yn'dyw hi, a gadael iddyn nhw hwylio i ffwrdd.

Yn anffodus, dyw'r byd ddim mor ddu a gwyn â hynny. Mae'r hyn sy'n ymddangos yn bitw i ni yn hollbwysig i eraill. Rhywffordd neu'i gilydd mae amryw o'r bobol (nid pawb) sy'n mynnu eu blwyddyn o ryddid *gap* fel hawl, yn llwyddo i osgoi'r neges honno. Falle, drwy deithio ar awyrennau, fod y byd wedi mynd yn fach, ond mae'r gagendor rhwng y diwylliannau yr un mor eang. Mae ansensitifrwydd o'r math hwn, er ei fod yn ymddangos fel tân shafins ar un olwg, yn gallu bod yn sylfaen i goelcerth llawer mwy.

Mae Eleanor Hawkins (dyna yw ei henw, gyda llaw) yn ferch â'i phen yn gadarn ar ei sgwyddau. Mae ganddi radd bellach mewn peirianneg awyrennau, a does dim dwywaith ei bod yn sylweddoli iddi ymddwyn yn ffôl. Ond hyd yn oed os bydd hi byw tan iddi fod yn gant, a bod yn gyfrifol am bob math o ddatblygiadau technegol chwyldroadol yn ei maes, fe fydd hi'n cael ei hadnabod fel y ferch a ddangosodd ei bŵbs ar ben llosgfynydd yn Borneo. Bydded hynny'n rhybudd i chwi hedonistiaid sy'n ysu i deimlo'r gwair rhwng bysedd eich traed!

Trump

Os y bu gen i yrfa erioed fel dehonglydd politicaidd, mae e wedi hen ddiflannu. Ychydig wythnosau'n ôl, fe wedes i nad oedd gan Donald Trump fwy o obaith o gyrraedd y Tŷ Gwyn nag a fyddai gen i. Fe alla i gysuro fy hun â'r ffaith nad oedd y *pollsters* mwyaf profiadol wedi gweld hyn yn dod chwaith, ond mewn gwirionedd 'dyw hynny'n fawr o gysur. Mae'r byd yn dipyn peryclach unwaith eto. Ond os oes rhaid i mi roi'r gorau i'r yrfa, man-a-man i mi orffen drwy ddweud hyn. Fel y dywedodd aelod blaenllaw o'r blaid Weriniaethol (Paul Ryan, gŵr a fu yn elyn pennaf o fewn ei blaid ei hun i Donald Trump), 'Fe welodd Trump rywbeth na welodd y gweddill ohonon ni.' Do! All neb ddadle â hynny, ac mae beth bynnag welodd e wedi sicrhau buddugoliaeth annisgwyl i'r blaid, a fu, tan y canlyniad, yn llawn mor ddibrisiol ohono â'r Democratiaid. Y picil mae'r Unol Daleithiau ynddi ar y foment yw hyn: mae Trump wedi ennill drwy addo i'r bobol yr union bethau roedden nhw'n eu dymuno, heb y cymhlethdodau mae etholwyr America yn cael trafferth â hwy, megis gofal dros yr amgylchedd, y mater bach o 'weddill y byd', ac yn y blaen. Nawr, mae'n rhaid iddo gyflawni ei addewid.

Cyrhaeddodd Donald y Tŷ Gwyn ar gyfer y trafodaethau dechreuol gyda'i ragflaenydd, Barack Obama, ddydd Mercher diwetha. Dy'n ni ddim yn gwybod pa mor llipa oedd yr ysgwyd llaw cynta yna rhwng y ddau, ond roedd Obama'n edrych fel asyn cloff yn cyfarch gŵr y lladd-dy. Mae'r hyn oll a gyflawnodd yr Arlywydd Obama yn ystod ei gyfnod yn y Tŷ Gwyn ar fin cael ei racso'n shitrwns. Mae gan y Blaid Weriniaethol (Republican) fwyafrif ymhob agwedd o'r llywodraeth nawr, a phan fydd Trump yn penodi ustus Uchel Lys i'r Farnwriaeth, sy'n sicr o fod yn *Rootin tootin, shoot 'em up, Yosemite Sam lookalike*, fe fydd ganddo rwydd hynt i basio unrhyw fath o bolisi neu gyfraith y bydd e'n ddymuno. O hyfryd ddydd ...

Fe fu cyfarfod hefyd rhwng Mrs Trump

a Michelle. O orfod dewis, fe fydde'n well gen i fod yn gleren ar y wal yn y cyfarfod hwnnw. Mrs T yn cyfarch y fenyw a sgrifennodd ei hareithiau gorau hi. Ac mae'n gwella – mae sôn bod y llywodraeth Brydeinig yn mynd i ofyn i Nigel Farage fod yn ganolwr rhwng y ddwy wlad gan 'i fod e'n nabod Trump yn weddol dda. (Wel, 'sdim byd arall gydag e ar y gweill ar y foment.) A bod Boris Johnson wedi cynghori aelodau o'i adran i geisio cryfhau cysylltiadau â 'Team Trump' fisoedd cyn y canlyniad, rhag ofn y bydde'n ennill. Wn i ddim oes elfen o 'adar o'r unlliw ...' yn fanna, ond maen nhw'n sicr yn rhannu mwy na'r un barbwr erbyn hyn.

Wrth i gar Donald Trump sgubo mewn i'r Tŷ Gwyn yr wythnos diwetha, fe ofynnodd newyddiadurwr i un o gefnogwyr amlwg Trump pam iddi bleidleisio drosto fe. Ei hateb hi oedd, 'Trump is great because he backs Israel, which is where the Messiah will come from.' Gadewch i ni obeithio y daw e'n weddol glou.

Etholiad

Mae'n rhaid i mi ymddiheuro yn gynta. Rwy'n siŵr eich bod chi wedi cael llond bola o'r etholiad, ond dim ond un gair bach arall cyn i'r syrcas ddiflannu, achos prin y gallen i fod wedi dyfalu canlyniad o'r fath. Wedi agor y drws i'r syniad o gyd-reoli â phlaid arall, fe gafodd y Democratiaid Rhyddfrydol fynd wrth 'i sgrwff i ebargofiant, ac felly hefyd yr egwyddor o 'glymbleidio' ... am y tro, o leia.

Gadewch i mi fynd â chi am dro. Pan maen nhw'n gosod to gwellt ar dŷ, ambell waith maen nhw'n rhoi mwy o swmp i'r grib, gan mai hwnnw yw'r darn sy'n dirywio gynta. Yr enw ar hyn yn Saesneg yw *sacrificial ridge*, gan fod posib aberthu swmp y grib heb beryglu'r to. Mae to gwellt y Torïaid yn gyflawn ac yn sych, ond mae crib y Rhyddfrydwyr nid yn unig wedi'i thorri, ond mae rhywun 'di rhoi matshen iddi. Yn nhrefn arferol ping-pongaidd etholiadau, mae'r rheiny sy wedi bod mewn grym, yn draddodiadol, yn diodde. Ond y tro yma, yn hytrach na rhoi stŵr i'r perchennog, mae'r etholwyr wedi chwipio'i gi. Druan â nhw – does dim angen y *fifty-seven seater* ar y Lib Dems i gyrraedd Tŷ'r Cyffredin bellach, maen nhw'n ôl mewn dau dacsi. Sy'n fwy nag y gallen i ddweud am Ukip. Does ond angen un beic i gludo holl obeithion y cannoedd o filoedd o'r rheiny a darodd bleidlais i Mr

Farage a'i griw. Mae talp go helaeth o'r genedl ar eu gliniau heddiw yn diolch i Dduw am drefn 'cynta heibio'r postyn' yr etholiad. Mae'r Blaid Lafur, ar y llaw arall, mewn sioc. Eu hetholiad *nhw* oedd hwn i fod, ac ar fwy nag un achlysur roedd y canlyniad yn eu dwylo. Oedd cysylltiad Llafur â'r Alban yn fwy cadarn nag un Cymru? Eto, mewn un llif o anfodlonrwydd cenedlaethol, fe sgwriwyd Llafur o'r wlad fel 'taen nhw erioed wedi bod yno. Os oedd e'n hunllef i Lafur roedd e'n storom berffaith i'r SNP – anghrediniaeth fod Llafur wedi ochri â'r Torïaid yn y refferendwm, yn gynta, a diflastod tuag at y Lib Dems am gefnogi'r Torïaid i ffurfio llywodraeth yr etholiad diwetha. Os oes rhywbeth wedi rhoi llond twll o ofon i'r aelodau Llafur yn y Cymoedd sy wedi eistedd ar filoedd o fwyafrif ers degawdau, dyna oedd e.

Ond yr hyn a lwyddodd i danseilio sawl ymgyrch yn ystod yr etholiad hwn oedd y dadleuon, pan brofwyd i'r cyhoedd cyn lleied o garisma oedd gan arweinwyr y pleidiau. Er mwyn ennill etholiad fel hwn, mae'n rhaid argyhoeddi'r gynulleidfa, nid o anghenraid am eich polisïau chi, ond eich bod chi'n gyfforddus o flaen camera.

Allech chi fod yn adrodd cynnwys yr *Yellow Pages*, dim ond eich bod chi'n gwneud hynny'n hyderus, fe gewch chi bleidleisiau. Ac fe gewch chi barch hyd yn oed gan rheiny fydd ddim yn pleidleisio drostoch chi. Ac eithrio Nicola Sturgeon a Nigel Farage, o bosib – arweinwyr a welodd eu cyfle – wnaeth *neb* arall argraff. Roedd Miliband a Cameron mor ddi-fflach â'i gilydd, a Cameron ychydig yn llai anetholadwy na'i wrthwynebydd, o bosib. Ond y rhai y dylid eu crogi oedd y sbin-feddygon. Pobol sydd i *fod* i lywio llwybr yr arweinyddion. Beth oedd yr anerchiad yna ar lawr ffatri pan frithwyd sgript Mr Cameron ag ambell reg, ond cais i brofi 'i fod e'n un o'r werin? Roedd Miliband a'i 'dabled' a'i chwe gorchymyn yn waeth; cusanu ei wraig a chodi llaw ar y dorf ar yr un pryd, heb wneud yr un o'r ddau beth ag argyhoeddiad. Fe gafodd Leanne Wood o Blaid Cymru sylw cydradd am y tro cynta, ond nid diffyg cydraddoldeb fu'n gyfrifol am ddal y Blaid yn ôl dros y blynyddoedd, mae'n amlwg, achos wnaethon nhw fawr gwell na'r tro diwetha. Yn wyneb gwrthwynebiad mor drychinebus, lle oedd y gwelliant?

Dyw'r enw 'Doris' ddim cweit yn ddigon ffyrnig, falle, i gyfleu'r fath ffenomen. Ry'n ni'n meddwl amdani fel perthynas garedig, rinweddol, delwedd sy'n cyd-fynd â Doris yr emyn dôn, a'r geiriau 'Lle cafodd y ddafad ei chôt o wlan, sy'n cau heb 'run botwm na phin' ... bla-di-bla ... dyw hi ddim yn neges gymhleth, ond yn un gynnes a diniwed. Ond o'r hyn ddaroganwyd gan y Storomfeistri, ro'n i'n disgwyl i Doris (y storom) arbed gwaith i'r ffermwyr, gan chwyth-gneifio eu defaid druan a, mwy na thebyg, eu hail-leoli nhw ar fferm rhywun arall, a'r cnu yn un swp yng ngogledd Norwy yn rhywle.

Yn ôl Wikipedia (sylwch ar ddyfnder fy ymchwil!) 'Sea Nymph' oedd Doris – symbol o lawnder y môr (y môr hwnnw sydd wedi'i godi o'i fan priodol a'i arllwys yn ddidrugaredd dros y rhan fwya o ogledd Prydain erbyn hyn). Fel ffigwr yn hanes mytholeg Groeg fe deithiodd ymhell ac agos ar gefn ei Hippocampus, achos mae'i henw hi'n codi ym mhobman. Erbyn heddi, mae'r hippocampus yn rhan o'r ymennydd. Dyn a ŵyr sut, na pham, achos rhyw fath o forfarch oedd fersiwn Doris. Pen ceffyl a phen-ôl dolffin. (Beth bynnag oedd yn y Shandy bryd hynny, nid pop oedd e.)

Drycin Doris

Chwefror 2017

Er gwaetha'i henw modrybaidd, cyfeirir at Doris bellach fel *Weather Bomb*. Yn wir, ry'n ni wedi profi *Explosive Cyclogenesis*. Ry'ch chi'n gwybod 'i fod e'n ddifrifol pan maen nhw'n dechrau defnyddio enwau lled-Feiblaidd. Fydd hi'n locustiaid a nadredd tinboeth cyn i chi allu tynnu ana'l.

Wrth gwrs, doedd dim enwau ar stormydd flynyddoedd yn ôl. Doedd dim rhaid i ni ryfeddu at ryferthwy stormydd oedd ag enwau fyddai'n edrych yn well ar fonet Morris Minor. Ond nawr, mae enwi stormydd a chyfeirio atyn nhw wrth eu henwau yn ymgais i drio'u gwneud nhw'n fwy diddorol a phenodol, ac yn haws i'w cofio. Does neb yn cyfeirio at ddinistr New Orleans fel 'storom Awst dwy fil a phump', ond os wedwch chi 'Katrina', mae pawb yn cofio. A nawr ein bod ni wedi agor cil y drws, pam nad ymestyn yr arfer i gynnwys gweddill y tywydd: Cawod Cleif, Awel Anwen neu hyd yn oed Eira Eira! Cofiwch lle clywsoch chi e gynta. Felly y cyfeirir at Doris o hyn ymlaen – os, yn wir, y bydd 'na 'o hyn ymlaen' i Doris. Er gwaetha'r holl rybuddio, a phroffwydoliaethau o ddinistr a phwll diwaelod o ddisberod cyffredinol, faint yn union o ddifrod a fu? Do, fe ddatgysylltwyd y trydan am gyfnod, fe ddi-wreiddiwyd cwpwl o goed, a llwyddwyd i wneud yr hyn mae gweddill Cymru wedi bod yn trio'i wneud ers 1826, sef gwneud Môn yn ynys eto (er, dim ond dros dro ...). Serch hynny, bu Adran Ddyfeisio Termau Dychrynllyd Swyddfa'r Met yn gweithio *overtime* ar ei chyfer. A glywsoch chi'r termau *'weather bomb'* ac *'explosive cyclogenesis'* o'r blaen? Naddo. 'Wy ddim yn meddwl 'u bod nhw'n bodoli cyn y penwythnos diwetha. Ac fel un a yrrodd drwy Doris lan i'r Alban, fe alla i gadarnhau nad oedd hi ddim gwaeth na sawl storom arall. Cyhoeddwyd bod Doris yn chwythu dros saith deg milltir yr awr uwchben Capel Curig. 'Ond aros mae'r mynyddoedd mawr, rhuo drostynt mae y gwynt.' Beth ddigwyddodd i'r corwyntoedd llawer mwy grymus a chwythodd drwyddo yn ddienw dros y blynyddoedd? Wedi mynd yn angof. Dyna fydd tynged Doris hefyd, rwy'n amau.

Ond arhoswch chi am Elwyn ... fe sydd lan nesa, a *watch-out* fydd hi bryd hynny!

Pennod 4. Ewrop

Ewrop

Dros ugain mlynedd yn ôl fe fues i ar daith awyren o Ddulyn i Galway ar arfordir gorllewinol Iwerddon. Roedd hi'n daith weddol hwyr, tua naw y nos, ac yn gymal ola trip a ddechreuodd y bore hwnnw yn Lisbon. Tua wythdeg ohonon ni deithwyr oedd ar yr awyren, i gyd yn Almaenwyr heblaw amdana i, gŵr camera a sain, a chyfarwyddwr. Rwy'n cofio meddwl, wrth eistedd ymysg cymaint o Almaenwyr ar daith i ganol nunlle, ei fod yn brofiad od, ond dim mwy na hynny.

Ro'n i yno i ffilmio rhan o raglen fer o'r enw *Pob Twll a Chornel* ar gyfer Noson Ewrop S4C, yn ail hanner y nawdegau. Pwrpas y rhaglen oedd archwilio sut yr oedd modd i ni, o fynd i eithafion yr Ewrop newydd, ystyried ein hunain yn un corff o bobl 'Ewropeaidd'. Wedi'␣ cyfan, roedd cymaint o wahaniaethau rhyngddon ni. Aeth y rhaglen â ni o gylch yr arctig yn y Ffindir, lle welson ni bobol canol oed mewn siwmperi *v-neck* a sannau Pringle yn dawnsio i 'Una Paloma Blanca' (ac eithrio'r ddwy neu dair troedfedd o eira tu allan i'r dafarn, a'r tymheredd o minws 30 gradd, fe allen ni fod yn Llansannan neu Bencader). Fe deithion ni i bwynt mwyaf gorllewinol Portiwgal a gweld, ar lannau afon Tagus, un o iardiau adeiladu llongau mwya'r byd – oedd bron mor fawr â gwaith dur Port Talbot. Ond rhwng Norwy a Phortiwgal, fe fuon ni hefyd yng ngwlad Groeg. Y syniad yn Athen oedd hedfan ymlaen i ynys Creta a ffilmio ym mhlanhigfa fananas mwya gogleddol y byd, a'r unig un yn Ewrop. Chi'n dechrau 'i gweld hi nawr, gobeithio ... rhyw fath o bedwar pegwn Ewrop. Ta beth, y diwrnod y cyrhaeddon ni yno, cyhoeddwyd bod llywodraeth Groeg yn mynd i ailstrwythuro'r cwmni hedfan cenedlaethol, Olympic, ac o ganlyniad byddai nifer o'r staff yn colli eu gwaith. Beth bynnag oedd y rheswm go iawn, ym

marn gweithwyr yr awyren Olympic roeddwn i arni, y gymuned Ewropeaidd oedd ar fai am y cyfan. Galwyd streic ar draws y cwmni ac roedd pob awyren yn y fflyd ar y ddaear, a olygai na fyddai neb yn hedfan i unrhyw le, gan gynnwys Creta, am ddau ddiwrnod o leia. Segura yn Athen amdani felly, a cheisio creu ffrwd arall i'r stori am enedigaeth democratiaeth, crud gwareiddiad ac ati. Bydde'n well gen i fod wedi gweld y bananas, fy hun. Ta beth, ac amser yn brin, ymlaen â ni ar y cam nesa o'r daith – o Athen i Lisbon – ar Olympic eto, ac roedd y staff yn dal i bwdu. Rwy'n credu y gallen i fod wedi hedfan yr awyren yn well. Doedd dim ymgais o gwbwl i wneud i'r teithwyr deimlo'n gysurus. Bwyd yn cael ei daflu ar blatiau (pan ofynnodd rhywun am bryd llysieuol fe dynnodd yr *hostesses* y cyw iâr oddi ar y plât a rhoi'r fej a'r grêfi yn ôl iddo fe) a'r staff yn eistedd a'u traed lan yn yr adran Dosbarth Cyntaf yn smoco ac ymbincio am ran fwya'r daith. Daeth y capten allan ar un pwynt i gael ffag a fflyrtio gyda'r merched, ac am y deng munud hynny, roedd yr awyren yn hedfan yn fwy llyfn! Yn fuan cyn glanio, dywedodd yr *hostess*, 'Thank you for flying with us today, and we look forward to inviting you back on Olympic Airlines again soon.

Goodbye.' A'r 'goodbye' wedi'i startshio cyn 'i smwddo. Fe ges i bwl o chwerthin. Fel Fawlty Towers yn y cymylau.

Ta beth. 'Nôl yn Iwerddon, casgliad y rhaglen, os gofia i'n iawn, oedd nad oedd yn rhaid i ni i gyd fod yr un fath i fod yn gyd-aelodau o gymuned, a grantiau ar gael am fod yn wahanol ... rhywbeth fel'na.

A'r Almaenwyr? O'n nhw i gyd yn byw yno. Mae 'na ddegau ar ddegau o filoedd ohonyn nhw'n byw yng ngogledd orllewin Iwerddon, mewn tai haf gan fwya, ond fel Ewropeaid da maen nhw wedi cofrestru i bleidleisio.

Grexit

(*yn dilyn pleidlais gyhoeddus i wrthod cynigion a wnaed i wlad Groeg gan Ewrop i leddfu'r sefyllfa ariannol yno*)
Oherwydd hanes Ewrop rwy wastad wedi ystyried y Groegwyr fel yr Ewropeaid cynta, ond dy'n nhw'n sicr ddim yn teimlo'n rhan o'r fersiwn bresennol ohono. O'r herwydd, mae pleidlais brotest yr wythnos ddiwetha yn fwy na jyst smasho cwpwl o blatiau.

Yng ngeiriau thema'r gyfres *Hapnod*, 'Mae comedi a thrasiedi yn agos iawn medden nhw i mi, hi, hi.' Mae'n amserol

ein bod ni'n cofio mai Groeg yw cartre'r ddrama, boed hi'n gomedi neu'n drasiedi.

Yn ôl yr arbenigwyr, mae gwybod lle yn union i fuddsoddi ein harian yn bwysicach heddiw nag y bu erioed, a chwymp Groeg yn debyg o effeithio'n ariannol arnon ni i gyd. 'Wy ddim wedi buddsoddi ceiniog o arian yn ddiweddar, ond rwy wedi buddsoddi llawer gormod o amser ac emosiwn yn poeni am Wlad Groeg yn gadael yr Ewro ac Ewrop. Mae'r ddrama epig yma ar lwyfan byd-eang yn mynd i atseinio yn ein pocedi ni i gyd, beth bynnag ddigwyddith. Yn ystod yr wythnos, ar ôl clywed bod datrysiad cadarnhaol i'r broblem yn bosib, fe gododd gwerth marchnad stoc y Nikkei yn Japan, hyd yn oed! Hwrê fawr – roedd y byd yn hapus! Hyd yn oed Japan? Ydi trafferthion economaidd Groeg yn bwnc trafod dros sushi ym mariau Karaoke Tokyo? Ta beth, roedd hi'n edrych yn fwy tebygol y bydde Groeg yn aros o fewn yr Ewro.

Erbyn dydd Sul, roedd yr afr wedi mynd drwy'r Acropolis eto (bwww!) a'r hedyn o gytundeb a blannwyd ond dyddie ynghynt wedi crebachu cyn iddo gael cyfle i fagu gwreiddiau. Rwy'n siŵr bod cofnodwyr diwyd y Nikkei yn iro eu llwynau am fore prysur arall ar y farchnad stoc fore Llun. Ond mae sawl act i fynd cyn bo Oedipus yn priodi'i fam. (Ry'n ni eisoes wedi cael degau o actau yn barod …) Yn unol â chanllawiau'r ddrama Roegaidd, does neb yn gwybod be sy'n digwydd tu ôl i'r masgiau, ac mae'r gweithredoedd mawr i gyd yn cael eu cyflawni oddi ar y llwyfan.

Felly beth yw'r broblem? Dyn a ŵyr. Mae'n rhy hawdd dweud, 'o, gwahaniaethau diwylliannol ... bla-di-bla ... *mañana mentality* ... bla-di-di-bla ... does dim diwrnod o waith yn y job lot wedi'u rhoi at 'i gilydd ... o-bla-di, o-bla-da!' ac ar yr un pryd, peintio gwledydd protestannaidd y gogledd fel arwyr diwyd sy'n gweithio er lles economi'r wlad ac yn byw o fewn eu gallu. Rwtsh yw'r ddwy ystrydeb, ond dyw hynny ddim yn golygu nad oes elfennau o wirionedd ynddynt, y naill ochor a'r llall. A phan maen nhw'n sôn am Lwtheriaid di-ramant y gogledd, maen nhw'n ddi-eithriad yn sôn am yr Almaen. Gadewch i ni ddechrau â'r Groegwyr. Allwch chi ddim beio pobol gyffredin Groeg am ffaeleddau sawl llywodraeth a wariodd arian Ewrop fel plant mewn stondin *pick 'n' mix*. Nid y gwleidyddion hynny, na'r Oligarchs sy'n dilyn arogl arian fel siarcod o un wlad i'r llall, fydd yn gorfod talu'r ddyled yn ôl, ond yn hytrach y rheiny sydd â'r lleia i'w roi. 'Wy ddim yn siŵr a yw e'n dal i wneud hynny, ond hyd at yn ddiweddar iawn roedd Prif Weinidog Groeg yn byw gyda'i fam, achos doedd e ddim yn gallu fforddio prynu tŷ. Allwch chi ddychmygu David Cameron a'i wraig a'i blant yn gwneud yr un peth?

Does dim dwywaith fod gan yr Almaenwyr enw am fod yn ofalus o'u harian. Os ddweda i wrthoch chi nad Aldi a Lidl yw'r archfarchnadoedd rhata yn y wlad, fe fyddwch chi'n deall pam. Fe godwyd Angela Merkel yn nwyrain yr Almaen mewn tlodi – fel nifer fawr o'r Groegwyr. Ac er mai llywodraethau Ewrop (a llywodraeth Ewrop ei hun ac amryw o fanciau) sy'n trafod a dadlau ymysg ei gilydd, ma mwy na *whiff* o senoffobia ym mhrotestiadau pobol yn y naill wlad a'r llall. Mae undod Ewropeaidd yn cael ei ddal at ei gilydd gyda llinyn trôns. Mae'r hyn a ddechreuodd fel drama epig wedi troi'n opera sebon ddyddiol. Byddwch yn barod am ddracht arall o Bobl y Drachma.

Burkini i bawb o bobol y byd

Awst 2016

Pan oedden ni, un flwyddyn, ar ein gwyliau yn 'gefeillio' yn Llydaw, aethom fel teulu i'r *piscine* – y pwll nofio. Roedden ni ar y pryd ymhell o'r môr, a'r tywydd yn drybeilig o boeth. Wedi newid i fy siwt ymdrochi, naid i mewn i'r dŵr llugoer, hyfryd. Cyn i mi nofio un hyd o'r pwll, daeth chwiban o rywle, a bys cyhuddgar i 'nghyfeiriad i. Beth o'n i wedi'i wneud i

haeddu'r fath embaras? Oedd Plismon Pwdlyd y pwll yn meddwl falle 'mod i heb arddangos y di-hidrwydd Ffrengig angenrheidiol? Mae'n reit anodd codi'ch sgwyddau'n haerllug pan y'ch chi allan o'ch dyfnder.

Na. Ro'n i'n gwisgo'r math anghywir o dryncs. Roedd pawb arall, hyd y gwelwn, yn gwisgo rhyw bethau bychan pants-aidd oedd yn gadael fawr ddim i'r dychymyg, yn wahanol i'r Bermudas blodeuog oedd gen i amdanaf. A finne'n meddwl 'mod i *quite the thing*. Digon da i Tommy Hil...beth bynnag yw e, ond ddim yn ddigon da i'r Ffrancwyr, fe ymddengys. Ddes i ma's o'r pwll, rhoi 'mhants mlaen, ac wedi cael sêl bendith y swyddog, yn ôl â fi i'r pwll. A' i ddim i fanylu, ond siawns nad oedd y siwt ymdrochi yn lanach na phâr o bants? 'Iechyd a diogelwch' medd y wraig. Wel, roedd yr *outside plumbing* yn fwy diogel, o bosib, ond dyna ni. Rhyngon nhw a'u cawl.

Ta beth, yn ystod yr wythnos bu'r Nazis ffasiwn Ffrengig wrthi eto. Nid am resymau Ffasiwn (sylwer yr Ff fawr) ond am resymau 'moesol' a chrefyddol. Gwelwyd golygfa bisâr ar draeth Nice yn ne Ffrainc pan orfodwyd menyw Fwslemaidd, druan ohoni, i dynnu peth o'i gwisg gan blismyn arfog. Mae gwisgo beth a elwir yn Burkini – hynny yw, siwt ymdrochi un darn hir sy'n caniatáu i ferched Mwslemaidd fynd i'r môr – yn erbyn cyfraith Ffrainc. Deg llath i fyny'r traeth ar y prom mi fyddai ganddi berffaith hawl i wisgo felly, ond nid ar y tywod. Mae'n gyfraith amhosib ei gweithredu. Ac oes gan unrhyw un yr hawl i ddweud beth all pobol eraill ei wisgo ar draeth yng nghanol haf? Dim ond ein bod ni'n gwisgo *rhywbeth*, siawns.

Er 'mod i'n hoff o nofio, mae'n gas gen i wres tanbaid. Mae'n bosib mai dim ond cuddio rhag yr haul oedd hi, fel y bydden i. Ydi'r gyfraith hon ond yn cael ei gweithredu ar sail grefyddol? Neu oes yna beryg i unrhyw un mewn côt fawr gael 'i geryddu? Ar dripiau ysgol Sul fy mhlentyndod roedd dynion y capel yn mynd i'r traeth mewn siwt a thei. Am resymau crefyddol? Dyn a ŵyr. Fydden nhw, hefyd, wedi cael eu llusgo bant gan y Gendarmes? Mae perthynas y wlad â chrefyddau eraill yn ddigon simsan fel mae – fe ddyle'r llywodraeth groesawu'r Burkini a'i argymell i bawb. Fe alle fe arbed ffortiwn i'r wlad mewn triniaethau cancr ymhen blynyddoedd. Rhwydd hynt i bawb i wisgo fel y mynnon nhw, ddweda i. Burkini i bawb o bobol y byd!

Tynel Fision

I ffrwd y twpsod es i yn Ysgol Dyffryn Ogwen, Bethesda. Dwy ffrwd oedd yn yr ysgol: rheiny oedd wedi llwyddo i basio'r Eleven Plus bondigrybwyll, a'r gweddill ohonon ni a fethodd, am wahanol resymau. Rwy'n amau 'mod i ar y pryd (ac yn dal i fod) ar ryw 'sbectrwm' neu'i gilydd. Os edrychwch chi'n ddigon manwl, fe ddaw'r rhan fwyaf ohonoch chi i'r un canlyniad. Ma' rhyw gnec ar bawb. Ofer yw chwilio am dystiolaeth, rwy'n teimlo, achos yn y pen draw, ry'n ni i gyd yn gorfod cystadlu â'n gilydd, pa bynnag glymerce sydd arnon ni. Yn yr is-ffrwd roedd yn rhaid i ni sefyll arholiadau gwahanol. CSE yn hytrach na Lefel O. Os oeddech chi'n gwneud yn ddigon da, roedd cyfle 'da chi i aros blwyddyn ychwanegol i eistedd yr arholiadau uwch, ond bod yn rhaid i chi wneud y cwriciwlwm uwch i gyd mewn un flwyddyn. Un o'r chwe pwnc yn fy masged i oedd Daearyddiaeth. *Savannahs* diddiwedd o ffeithiau wedi'u crasu'n grimp.

Er bod Ysgol Dyffryn Ogwen yn ysgol gwbwl Gymreig, dim ond dyrnaid o'r pynciau oedd yn cael eu dysgu drwy gyfrwng y Gymraeg – ond roedd ymgais yn yr ysgol ar y pryd i ddechrau dysgu mwy. Felly, fel agorawd i bob gwers Daearyddiaeth, bydde Mr Gwilym

Fi a 'mrawd Robin tua Haf 1962

Williams druan yn gorfod cwyno am yr orfodaeth arno i ddysgu drwy'r Gymraeg. Byddai canran o bob gwers yn mynd i hoelio'r neges honno – yn y Gymraeg, wrth gwrs, achos Cymraeg oedd iaith y dosbarth, a hyd at y pwynt hwnnw, Saesneg yn iaith y pwnc.

Roedd 'na fap mawr hen ffasiwn ar y wal, 'England' a 'Wales', wrth gwrs, i'n hatgoffa ni ble oedd y ddwy iaith yn cael eu siarad, falle. Roedd yr Alban ac Iwerddon yno hefyd, rhag ofn eich bod chi'n meddwl mai rhyw drefniant radical o wledydd oedd ar y map. Yr Ynysoedd Prydeinig. Wedi'u hynysu gan ddŵr. Paradwys ddi-ymyrraeth. 'Tra mor yn fur …' ac yn y blaen. Ac felly y bu hi ers cyfnod y rhewlif – tan y pymthegfed o Fehefin 1994, pan aeth y trên cynta drwy Dwnnel y Sianel. Cysylltiad tipyn llai 'ffrosti' na'r cysylltiad rhewlifol, ond roedden ni'n sownd yn gorfforol, unwaith eto, â thir mawr Ewrop.

Bu farw'r Ffrancwr André Bénard yr wythnos ddiwetha. Dyw'r enw'n golygu fawr ddim i neb ym Mhrydain erbyn hyn, fydden i'n meddwl, ond fe oedd cadeirydd Eurotunnel, a'r un a wnaeth fwy na neb, ac yn anad Mrs Thatcher, i wthio'r gwaith drwyddo. Fe fu M Bénard yn aelod o'r Resistance yn ystod y rhyfel a bu hefyd yn bennaeth y cwmni olew Shell; roedd tŷ ganddo yn Llundain ac roedd o'n siarad Saesneg fel brodor. Y dewis perffaith i'r naill ochor a'r llall. Yn ddiplomydd, gallai adnabod problemau anferthol daearyddol a diwylliannol y prosiect, yn ddyn â gweledigaeth. Pan agorwyd y twnnel, ddwy flynedd ar hugain yn ôl erbyn hyn, fe ddwedodd; 'Traditionally, the British look to the open sea, yet now, a fixed visible link is forcing them to turn their attention to Europe.'

Am ba hyd? Ai gole ddydd ry'n ni'n ei weld ben arall y twnnel, neu drên arall yn dod i gwrdd a ni?

Croeso i'r diffeithwch (yn dilyn y refferendwm) Mehefin 2016

Ers Dydd Gwener y Gachfa ma' Ewrop yn lle tipyn peryclach. Nid i ni, wrth gwrs, achos mae'r cyhoedd wedi pleidleisio i ymadael ag e, neu felly mae'r *Outers* yn meddwl. Mi fu'r refferendwm yn fodd i fesur teimladau pobol Prydain tuag at yr Undeb Ewropeaidd – ac yn gwylio'n fanwl dros y dŵr, roedd yna bleidiau yn gobeithio manteisio ar y canlyniad. Os edrychwch chi ar y rhai sydd wedi llongyfarch Prydain ar ei phenderfyniad, maen nhw'n ddi-eithriad yn arweinwyr adain dde eithaf, a'u bryd ar chwalu'r Gymuned. Mae ambell un ohonyn nhw wedi annog saethu ffoaduriaid. Ai'r rhain fydd ein ffrindiau newydd? Mae'r canlyniad wedi agor crac yn adeiladwaith yr Undeb, a synnen i ddim na welwn ni'r cyfan yn dymchwel yn go fuan.

Yma ym Mhrydain, rwy'n siŵr fod gan y rheiny a bleidleisiodd yn erbyn parhau â'r berthynas ddigon o resymau dilys dros adael: o faint a phwysau pob mefusen, i'r mewnlifiad; ond yn anffodus, yn cyd-lechu o dan ymbarél yr ymgyrch roedd pobol â thueddiadau gwironeddol atgas. Mae'r rheiny nawr yn teimlo fod eu polisïau wedi derbyn sêl bendith y cyhoedd. Nid yn unig y mae Ewrop yn le mwy peryglus, ond Prydain hefyd.

Ond gadewch i ni edrych ar yr ochor bositif. Yn anffodus, ni fydd maint eich mefus yn newid yn syth, na siâp eich banana; fydd dim stop ychwaith ar y llif o fewnfudwyr honedig sy'n croesi'r sianel fel armada. Ond fe fyddwn ni, ymhen ychydig flynyddoedd lletchwith, yn wlad ar wahân eto. Yn rhydd i fasnachu â phwy bynnag ry'n ni moyn. Pwll di-waelod o bosibiliadau – ond gan nad oedd y pwll yn

bod tan ddydd Gwener, does neb yn gwybod beth yw 'i ddyfnder e. Fe all y pwll droi'n bydew. Fe wedes i na fydde dim yn newid am sawl blwyddyn. Ddim ar yr wyneb, falle, ond mae llinellau ffôn y corfforaethau rhyngwladol anferth hynny sydd wedi ymsefydlu yma yn grasboeth yn barod, ac fe allwch fentro y bydd ymddygiad gweddill pobol y gymuned Ewropeaidd tuag aton ni yn newid. Ry'n ni yn y diffeithwch, fel Ioan Fedyddiwr yn crwydro ar ddeiet o fêl gwyllt – a heb arian Amcan Un, bydd yn rhaid i ni adeiladu ein cychod gwenyn ein hunain, ac fe fydd gan locustiaid le amlwg ar y fwydlen.

'Ond o leia fe fydd gyda ni arian.' Sef yr arian ry'n ni'n ei roi bob dydd i gynnal y gymuned. 'Ein harian Ni!' Ie. Dyw e ddim fel mynd at y til yn Lidl a gofyn am *cashback*. Ry'n ni'n sôn am arian cyhoeddus fel 'ein harian ni' – fel petai gan y cyhoedd unrhyw fath o hawl i bennu'r ffordd mae e'n cael ei wario. Does ganddon ni ddim. Er na fydd stop ar y llif o jetiau jymbo dyddiol llawn *tenners* i Frwsel, pan fydd y taliadau hynny'n dod i ben, peidiwch â disgwyl galwad i ofyn sut y byddech chi'n licio gwario'r arian ry'n ni'n ei gael 'nôl. 'Dyw nifer fawr o'r rheiny a bleidleisiodd i adael yn gweld dim ond y ffigyrau. Ond allwch chi ddim rhoi pris ar drigain mlynedd a mwy o heddwch. Wrth gwrs, mae'n bosib na fydden ni wedi bod yn clatshio'n gilydd i farwolaeth 'taen ni ddim wedi ymuno, ond yn sicr all neb ddadle fod eistedd lawr wyneb yn wyneb â'r gwledydd hynny a fu'n gyn-elynion wedi sicrhau nad yw drwgdeimlad yn cyniwair. Pris bach i'w dalu am sythu eich banana.

Ffrindiau bad achub Gorffennaf 2016

I bobol gyffredin mae uchelgais yn golygu trio gymaint ag y gallwch chi i gyrraedd y nod yn deg, yn ôl eich gallu a'ch ymdrech. I wleidyddion, mae uchelgais yn golygu gwneud popeth yn eich gallu i ddamsgel ar ben cyfeillion, gwthio anwyliaid o'r neilltu a chusanu popeth o bysgod i foch er mwyn dwyn dyrchafiad. Pan ry'n ni'n meddwl am Lywodraeth, mae'r cyhoedd yn gweld corff o bobol lled-gytûn, pictiwr sy'n rhoi rhyw fath o hyder i ni eu bod nhw'n gallu rheoli'r wlad, p'un ai ydych chi wedi pleidleisio drostyn nhw ai peidio. Mae'n rhaid i chi gredu hynny. Ond os agorwch chi'r drws ar y posibilrwydd o arwain plaid, mae pawb arall yn elyn. Aelodau sydd wedi eistedd gyda'i gilydd ers blynyddoedd, wedi rhannu jôc ar sgrin deledu er mwyn i ni'r cyhoedd weld pa mor gytûn ydyn nhw ('Edrychwch! Maen nhw bron yn frodyr!'), nawr yng ngyddfau'i gilydd fel ci a chath. Ffrindiau a arweiniodd ymgyrchoedd â'i gilydd law yn llaw, wedi rhannu'r Battle Bus bondigrybwyll, heb sôn am lu o bethau eraill o bants i bast dannedd, mwy na thebyg, er mwyn yr achos; erbyn hyn yn casáu ei gilydd â chas perffaith. Dyw hyd yn oed eu hundod o dan yr un faner ddim yn ddigon i waredu'r gynddaredd sydd rhyngddyn nhw. Mae rhai, erbyn hyn, wedi'u penodi i swyddi newydd breision, yn annisgwyl. Eraill wedi'u taflu ar domen y meinciau ôl heb rym, heb olud. Fel Golums y rhes gefn. Unwaith ry'ch chi'n datgan eich teyrngarwch i un garfan, ry'ch chi hefyd, gyda'r un weithred, yn gwneud gelynion o'r llall. Dyna sut fyd yw San Steffan. Mae e fel bod 'nôl yn safon tri, dim ond bod y marblis yn fwy. Ac wrth ddewis timau, fel yn safon tri, fe fydd rhai *no hopers* yn weddill. Ro'n i'n un o'r rheiny. Fentra i bod Jeremy Corbyn hefyd. Ond fe ddaeth y dydd pan fydd y rhai bach yn rhai … mawrion? Neu beth bynnag yw'r ymadrodd. Mae'r *hoi polloi* tu ôl i Jerry, hyd yn oed os mai dim ond dyrnaid o aelodau seneddol sydd ar ei restr gardiau Nadolig erbyn hyn. Pawb yn awyddus i achub y blaid … rhag ei gilydd, fe ymddengys. Pa fersiwn o'r Blaid Lafur sy'n werth ei hachub?

Bu cyfnod byr yn ystod yr wythnos pan oedd posibilrwydd (tenau iawn) y bydde'r ddwy blaid yn nwylo Cymry. Petai hynny wedi digwydd, fe fydde wedi bod yn wyrth. Mae un o'r ymgeiswyr hynny wedi gwneud ei esgusodion a shyfflo bant i'r ochor nawr – a beth ddaw o'r llall? Dyn a ŵyr. Mae

menyw yn ôl yn Rhif Deg, sy'n rhywbeth i'w groesawu. Mae amryw wedi gwneud y cymhariaeth rhwng Teresa May â'r fenyw ddiwetha i fod yn Rhif Deg, gan gofio mai bach iawn newidiodd i'r fenyw gyffredin yn ystod ei chyfnod hithe. Amser a ddengys. Ond dyna yw gwaddod y Refferendwm. Mae'n byd bach cysurus, ynysig ni wedi mynd yn shilts ers ein penderfyniad i adael y gymuned Ewropeaidd. Ffiniau a fu fel waliau Jerico wedi'u dymchwel.

Tro nesa y byddwch chi'n edrych ar ddarllediad o'r senedd cofiwch fod y rheiny sy'n eistedd ochor yn ochor â'i gilydd, ar y naill ochor a'r llall, ond yno oherwydd bod rhaid iddyn nhw fod. Ffrindiau bad achub, yn ddigon hapus i fod yng nghwmni'i gilydd, yn gyfeillion oes, yn fodlon marw dros ei gilydd – ond dim ond tra bod y cwch yn dal dŵr. Wedi hynny? Pawb drosto'i hunan … a Duw dros bawb.

Ewrofision (cyn y refferendwm)

Mai 2016

Oes 'na glwyf o ryw fath yn gysylltiedig ag unrhyw beth sy'n dechrau â'r gair 'Ewro'? Os y'ch chi am ddibrisio rhywbeth, jyst rhowch 'Ewro' o'i flaen ac fe fydd yn sicr o fethu. Dyna farn rhai. Peidiwch â phoeni,

'wy ddim am fynd ar drywydd dadleuon am ffederaliaeth a pha hawl sydd gan Frwsel i sythu ein bananas, ac yn y blaen. Ry'ch chi'n siŵr o fod wedi hen syrffedu ar ddadleuon tebyg. Sôn ydw i am Eurovision – y weledigaeth gwbwl Ewropeaidd honno. Ry'n ni i gyd yn deall beth yw yr Eurovision Song Contest.

Rwy'n gwybod bod Cymro Cymraeg wedi bod yn rhan o gynrychiolaeth Prydain eleni, ac mae e'n grwt ffein, a doedd eu cân nhw ddim ufflyn yn waeth nag ymdrechion eraill Prydain dros y blynyddoedd. Bu ymgais yn lled-ddiweddar hefyd i gael gwahoddiad i Gymru i gymryd rhan yn y gystadleuaeth. Sut mae hyn yn bosib, wn i

ddim (bydd yn rhaid i chi ddarllen y rheolau ... pob lwc) ond ro'n i'n gefnogol i'r cais, achos rydw i, fel chi gobeithio, yn deall mai bach o nonsens diniwed yw e. Ond o leia ry'n ni *yn* y gymuned Ewropeaidd, ar hyn o bryd, sy'n rhyw fath o gymhwyster i gymryd rhan.

Mae ein syniad ni o Ewrop wedi'i ddiffinio gan wledydd y gorllewin, y rhai nad oedden nhw'n Gomiwnyddol, ac felly roedd hi'n wreiddiol gyda'r Eurovision Song Contest hefyd. Cyn i Israel(?) ei hennill hi 'nôl yn y 70au. Do, bu cryn ymestyn ar syniad *unrhyw un* o Ewrop dros y blynyddoedd, ac mae caniatáu i Awstralia gymryd rhan yn amlwg yn ymgais i gynnwys gwledydd oedd wedi eu cysylltu cyn y rhewlif diwethaf, pan oedd cangarŵs yn hopian ar draws yr Himalayas, fentra i.

Roedd gan y papur newydd *The Shropshire Star* 'Coastal Edition' ar un adeg. Falle fod cynnwys yr Ozzies yn Eurovision yn rhywbeth tebyg i hynny. Country members. Ma' digon o'r diawled draw yma, wedi'r cyfan!

Ond nawr mae'r hwch wedi mynd drwy'r siop. Mae'n amlwg bod ambell wlad heb 'i deall hi o gwbwl. Mewn diweddglo cyffrous bythefnos yn ôl, bron, yr Iwcráin aeth â hi, â chân o'r enw 1944 am weithred

Stalin, arweinydd Rwsia ar y pryd, i alltudio tri chwarter poblogaeth y Crimea i Uzbekistan. Hanes sy'n dal i fod yn sensitif yn yr Iwcráin. Ie, rwy'n gwybod. Beth ddigwyddodd i damed bach o nonsens diniwed, 'Boom bang-a-bang' a 'Puppet on a String'? Mae Rwsia (a ddaeth yn drydydd, gyda llaw) yn dal i fod yn gandryll, gan honni mai ymgais y Gorllewin i'w bychanu nhw ar lwyfan rhyngwladol oedd y canlyniad. Gwelwyd erthyglau yn y papurau newydd,

protestiadau cyhoeddus drwy'r strydoedd, rhaglenni teledu … maen nhw wedi teimlo'r peth i'r byw. Propaganda ar lwyfan byd eang. Pam fod cenedl mor *butch* â Rwsia yn chwenychu llwyddiant yng nghystadleuaeth fwyaf *camp* y byd? Achos eu bod nhw'n desbret am unrhyw fath o gydnabyddiaeth ryngwladol, hyd yn oed un mor blastig ag Eurovision? Nawr mae Awstralia'n cwyno fod cân yr Iwcráin wedi'i chlywed gan rai miloedd o bobol y llynedd: mae hyn yn torri rheolau'r gystadleuaeth (oes 'na rai?) ac fe ddylai'r wlad gael ei diarddel. Gan adael Awstralia (a ddaeth yn ail) i fynd â hi. Www, ma' *cheek* y diawl 'da nhw! 'Sda nhw ddim busnes i fod yn y gystadleuaeth o gwbwl! Ond petai hynny'n digwydd, wrth gwrs, fe fydde safle Prydain yn esgyn i … bedwerydd o'r gwaelod. Nawr 'te! Dyw hynny ddim yn swnio hanner mor wael â thrydydd o'r gwaelod, ydi e? Falle ddylen ni gymryd y gystadleuaeth yn fwy difrifol?

Pennod 5. Y Gwyddorau

Rosetta

Tachwedd 2014

Ddydd Mercher, ddaeth y newyddion fod gwyddonwyr Ewrop wedi llwyddo i osod rhyw fath o declyn gofodol mor fawr â *wheely bin* ar wyneb comed 530 o filiynau o filltiroedd i ffwrdd. Dyna'r pellter, fel hed y frân, ys gwedon nhw, ond fel gwyddon ni, bach iawn o frain sydd yn y gofod felly bu'n rhaid i'r lloeren oedd yn cludo'r teclyn – sef Rosetta – ddilyn ei chŵys ei hun. Bu'n rhaid iddi deithio saith gwaith y pellter hwnnw, gan ddefnyddio grymoedd disgyrchiant naturiol planedau eraill i gyfarfod â'r twmpyn hyn o rwbel gofodol ddwy filltir a hanner ar draws. Mae hynny'n daith o tua pedair biliwn o filltiroedd – fel malwen yn mynd o Landeilo i Lambed drwy Istanbul, ond twtsh yn bellach. Fel mater o ffaith, mae'r hyn y llwyddwyd i'w gyflawni hyd yn hyn (cyn i'r teclyn yma ddechrau casglu unrhyw wybodaeth) y tu hwnt i amgyffred dyn – ac eto, dyfeisgarwch dynol a'i lluniodd. Rhyfeddol, ac enghraifft berffaith o'r hyn y gellir ei wneud, o ffocysu holl egni dyn i un cyfeiriad.

Yr hyn maen nhw'n gobeithio'i ddarganfod yw gwybodaeth am sut y daeth y ddaear i fodolaeth. Yr unig broblem yw nad yw'r teclyn wedi angori ei hun fel y dylai, ac mae 'na beryg y bydd troeon afreolus y comed (dyw e ddim yn grwn) yn ddigon i'w luchio'n ôl i ddyfnderoedd du y gofod. Os nad yw e'n cael ei ddannedd i mewn i wyneb y comed, bydd yr arbrawf deng mlynedd ar ben, wedi'i chwalu gan un angor anystywallt, a man-a-man i chi fod wedi llosgi'r biliwn a hanner o bunnoedd a gostiodd y fenter gyda dail yr hydref yn yr ardd. Ar bethau bychain bywyd y mae ein tynged ni i gyd yn ddibynnol.

Rwyf i fy hun wedi bod yn entrychion fy myd technolegol, a'r tu hwnt iddo, yr wythnos hon. Ers bron i flwyddyn bellach mae'r golau uwchben y ffwrn yn y gegin wedi torri – nid y golau yn union ond y switsh – ac er gwaetha ffonio holl drydanwyr y byd, (neu felly mae'n teimlo) i drwsio'r bali peth, ofer fu fy holl ymdrechion. Er mwyn cadw'r golau mlaen mae'n rhaid gwthio pric coctel i'r pwynt lle mae'r botwm yn cyfarfod â chorff yr hwd (dyw e ddim yn beryg, gyda llaw, ond os yw coes y pric coctel yn hollti, mae hwnna'n eitha poenus!) Wn i ddim sawl pecyn ry'n ni wedi'u defnyddio hyd yn hyn, ond fentra i

fod coedwig wedi diflannu yn rhywle i gyflawni'r angen, ac un siop leol wedi datgan eu bod nhw'n ordro mwy er ein mwyn ni yn unig.

Yn ddiweddar, cyhoeddodd economegydd yn y Ffindir fod diwydiant coedwigo'r wlad wedi crebachu'n ddychrynllyd oherwydd bod y cwmni Apple wedi agor ein llygaid i allu darllen papurau newydd a chylchgronau ar y we. O'r herwydd mae'r galw am bapur wedi dirywio'n sylweddol. Wel, os na wela i drydanwr cyn bo hir, fe alla i lenwi'r bwlch yn eich GDP chi, peidiwch â phoeni. Gwnewch briciau coctel o'r coed i gyd.

Pan fydd y gronfa priciau coctel yn wag, mae gwahaniaethu rhwng bwydydd yn y tywyllwch yn dipyn o broblem. Fydden i ddim yn ystyried fy hun yn gogydd, hyd yn oed petai'r gegin wedi'i goleuo fel Stadiwm y Mileniwm. Ond yn y gwyll, faint o wahaniaeth sydd rhwng saws caws a chwstard? Meddyliwch amdano fel hyn, blant: rhowch gwstard ar eich blodfresych ac mae e'n brif gwrs a phwdin ar un plât. I'r un twll mae e i gyd yn mynd yn y diwedd, ac mae e'n golygu eich bod chi'n gallu mynd yn ôl at yr Xbox yn gynt! Gallaf glywed sêr Michelin yn tasgu i'm cyfeiriad wrth iddyn nhw ruthro i fabwysiadu'r fwydlen gryno hon. Dyma'r math o ddyfeisgarwch sydd wedi danfon Rosetta i bellafoedd y gofod i gwrdd â gwreiddyn ein gwareiddiad, ar ryw fricsen frith.

Darganfyddiad y ganrif

Chwefror 2016

Mae'n rhaid bod bywyd gwyddonydd yn fywyd unig ar diawl. Dychmygwch lunio damcaniaeth am rywbeth a gorfod aros can mlynedd cyn ei fod e'n cael ei brofi. Ymhell ar ôl i chi farw, hynny yw. Dy'ch chi ddim hyd yn oed yn cael y pleser o wybod eich bod chi'n iawn. Er cymaint o glod gafodd Einstein yn ystod ei fywyd, chafodd y darn ola yn ei ddamcaniaeth berthynoledd ddim ei wireddu tan ddydd Iau diwetha.

'Discovery of the Century' medd penawdau mawr y trymion. Mae pobol wedi bod yn sôn am Einstein's Theory of

Relativity fel petai e'n efengyl ers degawdau. Fel mater o ffaith, rwy'n cofio dysgu'r bali peth fel parot yn yr ysgol, heb ddeall yr un coma ohono. 'Tawn ni'n gwybod 'i fod e heb ei brofi, fydden i ddim wedi trafferthu. A phwy wahaniaeth mae e'n gwneud 'i fod e nawr yn wir, a neb erioed wedi awgrymu nad oedd e?

Gadewch i mi lenwi'r bylchau i chi. Roedd rhan o ddamcaniaeth Einstein yn ymwneud â thonnau disgyrchol yn y gofod. Pan y'ch chi'n taflu eich hwyaden i ben pella'r bath mae'r tonnau'n cymryd tua hanner eiliad i gyrraedd eich gên ... y math yna o beth. Roedd Einstein yn argyhoeddedig fod tonnau tebyg yn teithio o gwmpas y gofod. Nid bod Duw wedi taflu ei hwyaden o'r bath i bellafion y bydysawd, ond bod tonnau disgyrchol yn dilyn ffrwydradau o'r gorffennol pell. Dyna a brofwyd yr wythnos diwetha.

Yn ôl y gwybodusion, biliwn o flynyddoedd yn ôl fe drawodd dau dwll du gofodol yn erbyn ei gilydd, ac uno. All neb fod yn siwr mai dyna ddigwyddodd. Doedd dim tystion, ond gadewch i ni dderbyn fod hynny'n wir. Mae wedi cymryd biliwn o flynyddoedd i'r tonnau hynny gyrraedd y ddaear. Nodwyd yr wybodaeth gan The Laser Interometer Gravitational Wave Observatory fel '*chirp*' – sef y math o sŵn mae byji yn ei wneud. Allwch chi weld nawr pam fod y byd gwyddonol yn bownsio oddi ar y waliau fel niwtrons gwallgo mewn pwced o *ball bearings*. Allech chi fod wedi stopio darllen ddegau o weithiau yn ystod y paragraff hwn er mwyn gofyn y cwestiwn 'Faint yn union o wahaniaeth mae hyn yn mynd i'w wneud i 'mywyd i?' Fy hun, rwy'n cael trafferth dirnad pam fod cymaint o ffwdan yn cael ei wneud am ddigwyddiad o'r cyfnod cyn i'r byd gael ei greu, a ymddangosodd fel sŵn bwji ac sy'n cael i alw 'the biggest scientific breakthrough of the century'. Oedd 'na gryndod yn eich paned fore Iau wrth i ni brofi'r tsunami gofodol yma? Nag oedd. Fel mae'n digwydd, ro'n i mewn caffi pan ddarllenais am y digwyddiad ysgytwol yma sy'n mynd i drawsnewid ein dealltwriaeth am ffeibr y gofod. Yn Llandeilo, dy'n ni'n siarad am fawr ddim arall. Y peth fydde'n trawsnewid y profiad o yfed paned mewn caffi i mi fydde ffindo tebot sydd ond yn llenwi'r gwpan, ac nid y soser a'r rhan fwyaf o dudalen flaen y *Times* ar yr un pryd. Siawns na allwn ni wneud hynny cyn mynd i chwilio am dyllau du yn ymaflyd, 'nôl yn y cyfnod hwnnw cyn i Dduw ddeffro.

(*Ceisiwyd esgusodi sylwadau hiliol prop tîm rygbi Lloegr am chwaraewr Cymru, Samson Lee, fel 'bit of banter'.*)

Fe aeth lloeren arall i rywle yn ystod yr wythnos, yn do. 'To boldly go …' ac ati. Ond ry'n ni'n gwybod mwy am ryw dalp di-olwg o seren wib rewllyd, sydd ar ei ffordd o un twll du i un arall, nag yr ydyn ni am ein pennau ni'n hunain.

Megis agor mae'r drws ar y problemau ymenyddol fydd yn ein hwynebu wrth i ni fynd yn hŷn. Mae'r hyn yr arferid cyfeirio ato fel 'dryswch' flynyddoedd yn ôl bellach wedi ei rannu yn gategorïau llawer mwy penodol. Demensia, PCA, Alzheimers ac yn y blaen. Fel y bu 'canser' yn enw ymbarél i bopeth oedd yn eich lladd chi ddegawdau'n ôl, heddiw mae 'na wahanol fathau o ganser, a diolch i'r Iôr, siawns o'u goroesi. Dy'n ni ddim wedi cyrraedd yr un sefyllfa gyda phroblemau ymenyddol.

Mae 'ffaith' ar led ymysg y cyhoedd – ac yn fwy brawychus, ymysg y gymuned feddygol – ein bod ni ond yn defnyddio deg y cant o'n pŵer ymenyddol. Mae hynny'n esbonio diffyg ymdrech sawl plentyn, ac yn wir, mae e'n ffaith rwy wedi'i ddefnyddio ar fy mhlant fy hun i geisio'u sbarduno i

drio'n galetach. Yn ogystal, mae ugain y cant o'r ocsigen ry'n ni'n ei anadlu yn mynd i gynnal yr ymennydd yn unig. Dim ond i ddefnyddio deg y cant o'r ymennydd? Faint yn fwy fydde ei angen petaen ni'n tanio ar bob silindr? Byddai angen ysgyfaint fel dau bafiliwn i gynnal y gweddill hefyd. Na, does dim ots pwy ddywedith wrthoch chi, ry'n ni *yn* defnyddio pob rhan o'n hymennydd. Falle ein bod ni'n ffocysu ar y pethau anghywir, ond mae pob rhan mewn iws. Felly, does dim o'r fath beth â chnoc 'ddiniwed' i'r ymennydd – mae pob rhan yn bwysig mewn rhyw ffordd neu'i gilydd. Ry'n ni wedi gweld rhai o arwyr y gwahanol feysydd chwarae yn araf ddadfeilio yn dilyn gyrfa o drawiadau i'r pen. Cewri a fu'n bencampwyr yn eu maes yn cael trafferth i lunio brawddeg. Niwed i'r llabed flaen (y *frontal lobe*) yw'r hawsa i'w adnabod – un o'r symptomau yn aml yw bod personoliaeth y claf yn newid, weithiau'n ddychrynllyd. Ond nid yn unig drwy drawiadau mae posib niweidio'r ymennydd. Fe glywes sôn yn lled-ddiweddar fod person deg a phedwar ugain oed – un a oedd wedi byw bywyd hwyliog, graslon, diymhongar, bonheddig a chwrtais – oherwydd demensia i flaen yr ymennydd, wedi gorffen ei ddyddie yn ffieiddio, yn hiliol, yn diawlio anwyliaid a rhegi. Yn ôl y sôn, mae rhai o'r afiechydon yma'n gallu chwalu rheolau cymdeithasol gan achosi i'r claf ddweud a gwneud y pethau mwya amhriodol a ffiaidd. Rhwygo ymaith yr haenau o foesoldeb sy'n ein dal ni'n ôl.

Yng ngeiriau un o'i ganeuon, mae Elvis Costello yn canu am Dduw yn dyfaru 'i fod e ddim wedi rhoi'r greadigaeth yn nwylo'r mwncis yn y lle cynta. Ein hymddygiad ni sy'n ein gwahanu ni oddi wrth yr anifeiliaid, felly a yw'r tueddiadau anghymdeithasol hyn ynddon ni i gyd? Ry'n ni'n gallu esgusodi ymddygiad pobol sy'n diodde o demensia. Dy'n nhw ddim yn ymwybodol o'r hyn maen nhw'n wneud, na'r hyn maen nhw'n ddweud. 'Wy ddim yn siŵr yw '*bit of banter*' yn esgusodi ymddygiad y gweddill ohonon ni.

Rai blynyddoedd yn ôl, fe addawyd i ni y bydde technoleg fodern, gyfrifiadurol, yn sgubo dros y wlad fel swnami. Roedd hyn ymhell cyn ein bod ni'n ymwybodol o lwyr ystyr hynny, a'r dinistr llwyr mae e'n ei gynrychioli. Peth positif oedd yr addewid, chwa o awyr iach, ac fe fydde'r plebs a'r crach yn elwa llawn cymaint â'i gilydd – cyfeiriwyd at y we fel 'The Great Leveller' ar y pryd. Adnodd i bawb. Fel pawb arall, roedden ni yng nghefn gwlad yn awchu i fod yn rhan o'r chwyldro – wedi'r cyfan, roedd gwifren ffôn i bobman ym Mhrydain, a dim ond mater o'i gwella hi, a gosod rhyw bethau ffeibr-optig oedd angen, ac fe fydden ni i gyd yn canu o'r un daflen, fel petai. O ble ddaeth y fath ffydd?

Yn wyneb addewidion o megabeit hyn a cilobeit llall, *downloads, uploads, offloads* a *loads* o eiriau eraill dy'n ni ddim yn gwybod eu hystyr nhw; yn gudd, yng nghorneli tywyll papurau'r Sul, gwelwyd y pennawd 'Internet use may be Rationed'.

Dyw e ddim yn mynd i effeithio gormod arnon ni. Allwch chi ddim cyfyngu ar ddim, neu'r nesa peth i ddim. Ond mae'r we gan gwaith gwell nag oedd e, cofiwch. Ar adegau, erbyn hyn, fe allwn ni ddisgwyl cyflymdra o ddeunaw megapicsel yr eiliad. Nawr 'te! Ond dyw hynny ddim yn gyson, ac fe all fod yn hanner hynny. Fe alla i glywed amryw ohonoch chi'n crochlefain, 'Be sy gen ti i gwyno amdano?' tra bod y gweddill yn powlio chwerthin, 'Deunaw megapicsel, dy nain!' Petai cysondeb cyflymdra fydde 'na ddim anghytuno. Mae 'na bobol dros y ffin yn derbyn cyflymdra o hanner can megapicsel yr eiliad, eraill saithdeg! Ydyn nhw'n gorfod talu mwy na fi? Rwy'n amau.

Y peryg yw y bydd y chwyldro technolegol drosodd cyn 'i fod e'n cyrraedd. Ac nid diffygion y dechnoleg fydd yn gyfrifol am y dogni – er, mae hynny hefyd ar y ffordd – ond yr egni trydanol sydd ei angen ar Brydain i bweru'r holl declynnau cyfrifiadurol. Ar hyn o bryd, mae defnydd o'r we yn meddiannu wyth y cant o bŵer y wlad, ac mae hynny'n dyblu bob pedair blynedd. Erbyn 2030 fydd dim digon o drydan ar ôl i ferwi wy.

Yn yr oes yma o fythol fwffera, i bentyrru gwawd ar ben dirmyg fe dries i'r wefan newydd yma yn ystod yr wythnos, o'r enw *How Old Do I Look*. Yn syml, y syniad yw eich bod chi'n danfon eich llun i'r wefan ac maen nhw'n ceisio dyfalu beth yw eich oedran o'r llun. Wedi danfon fy

llun, yr ateb ges i oedd: 'couldn't detect any faces. Sorry we couldn't get the age and gender right.' Roedd gen i farf fel Captain Birdseye yn y llun. Ai dyna mae 'buffer-face' yn ei olygu? Mae'n amlwg bod fy nghyfrifiadur wedi rhoi ei fegapicsels lawr yn rhywle ac wedi anghofio ymhle yn union.

Ydi pethau'n mynd yn well neu'n waeth?

Ionawr 2015

Mae'n debyg bod ein delfryd ni o fywyd perffaith tua pymtheng mlwydd oed.

Hynny yw, roedd popeth yn well bymtheng mlynedd yn ôl, yn ôl y seiciatryddion. 'Wy ddim yn cyfeirio'n arbennig at y flwyddyn 2000, achos erbyn flwyddyn nesa, 2001 fydd y flwyddyn ddelfrydol. Felly drwy'r canrifoedd, mae pobol wedi dweud 'Jiw, dyw pethau ddim fel y buon nhw' gan gyfeirio at gyfnod amhenodedig bymtheng mlynedd ynghynt bob tro.

Peth arall mae'r arbenigwyr yn ei ddweud yw fod pobol yn fwy tebygol o fod yn sâl ac yn gwynfanllyd yn Ionawr a Chwefror gan eu bod yn fisoedd mor ddiflas ac oer. Hmm. Flynyddoedd yn ôl croeshoeliwyd Martyn Lewis, y cyflwynydd newyddion, am honni fod gormodedd o newyddion trist a dim digon o lawenydd yng nghynnwys y bwletinau. Wfftiwyd ei brotestiadau gan yr hacs, a galwyd ef yn llipryn di-asgwrn cefn. Bu trafodaethau ar y teledu, a dywedodd un cynllunydd enwog fod yn rhaid i ni lawenhau yn y pethau bychain mewn cyfnodau llwm fel hyn. Fel beth yn union? Gwynt pensil newydd ei naddu? Dyna oedd un ohonyn nhw. Fues i bron â thaflu rhywbeth at y sgrin ... roedd hi'n fis Chwefror wedi'r cyfan. Ond *hang on*. Mae

hyd yn oed y newyddion da yn newyddion drwg bellach. Pan ddylen ni fod yn llawenhau am fodolaeth y Gwasanaeth Iechyd a'n system addysg, dim ond am ddiffygion y systemau rheiny ry'n ni'n clywed. Mae dawnsio yn y stryd yn feunyddiol oherwydd fod prisiau petrol yn mynd lawr, ac i lawr, ac i lawr. Hwrê fawr? Na, mae'n rhaid i ni deimlo tosturi dros y rheiny sy'n gweithio yn y diwydiant olew nawr, a BP ac eraill yn bygwth cwtogi ar y gweithlu. ('Wy ddim yn cofio un ohonyn nhw'n tristáu pan o'n i'n gorfod talu £1.40 y litr.)

Mae hyn hefyd yn ffactor yng nghwymp y 'Footsie' bondigrybwyll. Nid bod gen i 'run iot o ddiddordeb yn hwnnw, ond am y ffaith fod pensiwn pawb yn gaeth i fympwyon y farchnad stoc. Nid dim ond fan hyn – oherwydd bod marchnadoedd stoc y byd nawr ynghlwm, mae newyddion gwael yn gwasgaru ar draws y byd fel hwrligwgan meddw heb frêcs. Does ond rhaid i America disian ac mae Ewrop yn cael annwyd, dyna'r dywediad. Erbyn i'r byd droi eilwaith, bydde wedi bod yn fwy proffidiol i chi roi matshen i'ch arian, na'i roi e tuag at bensiwn. O leia fyddech chi wedi mwynhau'r gwres.

A dweud y gwir, 'wy ddim yn siŵr faint o sail sydd i'r ddamcaniaeth bymtheng mlynedd chwaith. Fydden i'n meddwl fod y pwynt delfrydol hwnnw ymhellach 'nôl mewn amser. Roedd bywyd yn gyfoethocach pan oedd e'n llai cymhleth. Nid 'mod i'n colli deigryn am glos-pen-glin a *rickets*, ond yn hytrach y pethau bach dwl fel technoleg newydd mewn ceir, er enghraifft. Yn aml, yr hyn sy'n treulio gynta yw'r pethau gwirion fel ffenestri trydan, neu *central locking* – pethau ffidli, diangen. Bôn braich i gau'r ffenest, a phawb i roi ei fotwm i lawr i gloi. Haws a rhatach. Does dim dwywaith fod cyfrifiadureg wedi trawsnewid ein byd, ym mharadwys pedair G y dinasoedd mawrion yn arbennig. Faint o wahaniaeth gwirioneddol mae e wedi'i wneud i fywyd di-G ein tŷ ni? Yn aml ry'n ni'n treulio mwy o amser yn cwyno am ein cysylltiad ni â'r we nag yn 'i ddefnyddio e, ac eto – ffydd a gobaith yr ifanc – pan fydda i'n gofyn i'r plant gysylltu â ffrind i holi am ryw drefniant, 'fe wna i Ffêsbwco fe nawr' yw'r ateb yn aml. Gwaedda ma's drwy'r ffenest, fyddi di'n gynt!

Pasiwch y bensil 'na i mi, er mwyn y nefoedd ...

Pennod 6. Y Garafán

Carafanio

Ionawr 2015

Roedd ganddon ni garafán, yn hŷn na phechod, a fi oedd yn gorfod ei thynnu, ei gosod, rhoi'r adlen i fyny a'i thynnu i lawr (ac os nad yw'r weithred honno wedi'i nodi mewn sawl achos o ysgariad, fysen i'n licio gwybod pam). Ar ben hynny, doedd neb yn fodlon gwagio'r toilet na mynd i nôl y dŵr, a fi fu'n rhaid mynd ma's yng nghanol y nos mewn glaw Beiblaidd yn fy mhajamas i drwsio ffenest. Felly, nid ysfa i ddilyn y sipsi i gwr o fynydd a ysgogodd y penderfyniad i brynu un yn y lle cynta. Rwy wedi diodde am fy ngharafanio. Wedi dweud hynny, roedd hi'n handi ar adegau, ond erbyn y diwedd bach iawn oedd yn gweithio ynddi, ac fe oedd yn rhaid iddi fynd.

Fe brynon ni garafán arall, un fwy diweddar – nid un newydd o bell ffordd, ond un na fydd yn rhaid i mi ddringo ma's ohoni berfeddion nos i'w thrwsio. Dyna oedd y gobaith. Fe glywes i rywun unwaith yn cyfeirio at fod yn berchen ar gwch hwylio fel 'standing in a shower ripping up tenners'. Profiad tebyg yw cadw carafán, ond ychydig yn fwy sych. Mae'n anorfod y bydd rhywbeth yn bownd o dorri, ac er y byddwch chi wir yn bwriadu ei drwsio, mae'n sicr o fynd yn angof.

Mae'n flwyddyn, bron, ers i ni ddefnyddio'r garafán. Dim ond atgofion melys sy gyda ni am ein gwyliau llynedd, a dim atgof o gwbwl o'r toilet di-fflysh a'r batri dw-lali. 'Ydi'r goleuadau'n gweithio?' 'Na, ond siapwch 'i, bawb, mae'r toilet yn fflysho eto!' Dyna i chi esiampl o'r math o sgyrsiau gawson ni tra oedden ni ar ein gwyliau y llynedd. Prynwyd y garafán yn llawn gobaith. Dy'n ni ddim yn bobol dechnegol. Mae'n rhaid i bopeth ry'n ni'n 'i brynu fod mor soffistigedig â bricsen – os nad yw e'n gwneud yr hyn mae e i fod i'w wneud heb i neb gyffwrdd ag e, bron, mae e'n ddi-werth. Fel y cloc larwm 'deffro'n araf' hwnnw aeth yn ôl i'r siop am nad oedd neb yn fodlon darllen y llawlyfr. Dyna'r raddfa o ddeinosoriaeth ry'n ni'n siarad amdano. Y wraig yw'r optimist, mae'n rhaid cyfadde. Fi yw'r ffop a ddyle wybod yn well. Cyn oes y babell pop-yp (dyna i chi declyn dieflig sy wedi dwyn yr hwyl i gyd allan o gampio, gyda llaw) fe brynodd Rhian babell a ddaeth mewn bocs ac arno'r geiriau anfarwol 'Guaranteed to erect itself in 30 seconds'. Weles i erioed y geiriau, na'r bocs … mewn corwynt ar ben Waun Tredegar, lle nad oedd 'eirin na chnau', fe gymerodd deirawr. Eisteddfod Glyn Ebwy oedd honno. Yr un oedd y broblem, bron, ym Meifod …

Blydi adlen!

Anghofiwch y Llwyd o'r Bryn, y Rhuban Glas, y coroni a'r cadeirio, ar faes carafanau'r Eisteddfod mae'r gwir gystadleuaeth. Oni bai bod eich adlen chi'n edrych fel 'tae e 'di cael haearn smwddo, y'ch chi'n neb. 'Wy ddim 'di gweld cymaint o gorneli crisp a phaneli cynfas llyfn yn fy nydd. R'yn ni wedi bod yn mynd â charafán i'r Eisteddfod ers deuddeng mlynedd, a wir, mae'r duedd yn mynd yn waeth. Beth sy wedi 'nharo i eleni yw ein bod ni mewn cornel anghysbell o'r maes. Mae'n deg dweud na fyddwch chi'n pasio heibio ein carafán ni ar y ffordd i unrhyw le o bwys. Mae fel 'tae rhywun wedi bod yn cymryd nodiadau y llynedd er mwyn ein corlannu ni i gyd mewn un cae siomedig o adlenni shiabi, o'r golwg. Oes 'na derm torfol, tybed, am gasgliad o adlenni shimpil? 'Adlanas', falle (fe alle hwnna fod yn enw barddol i mi) tra bod y rheiny sydd wedi sicrhau bod cwymp eu cynfas llawn mor dynn ag erwau pinc pigfain y pafiliwn yn cael llefydd breintiedig nid nepell o'r taps a'r tai bach. Mae 'na rai eleni wedi bod allan â *spirit level* i wneud yn siŵr fod y diferion glaw yn disgyn 'yn eu trefn', a gŵr un beirniad cerdd dant wedi bod yn pegio ac ail-begio a rhaffu am oriau er mwyn i'r dafnau glaw, er eu bod nhw'n glanio ar adegau gwahanol, gyd-redeg i lawr y paneli a chyraedd pen eu taith yn y gornel yr un pryd.

Rwy'n cyfeirio'n aml at godi adlen fel y Torrwr Priodas. Gellir byw ag affêrs, medden nhw wrtha i, ond dadle am adlen yw'r ffordd cloua o roi arian ym mhoced twrne. Ac fe brofodd hynny'n wir eleni ... bron iawn. Gair o rybudd. Peidiwch byth â mynd ag adlen i'r Eisteddfod HEB, yn gynta, ei thynnu o'r bocs a'i chodi. Mae'r rhy hwyr pan y'ch chi 'di cyrraedd yn y glaw, i weiddi, 'Pam nag oes blydi *instructions* gyda'r adlen yma?' a holi'n gwrtais i'r wraig, 'Pam ma' isie blydi adlen yn y lle cynta?' Ac yn fwy perthnasol, 'Coda *di*'r blydi adlen – dy garafán *di* yw hi!' Ac yn wyneb y fath gystadleuaeth mae'n anodd cyfeirio at yr adlen heb rhoi 'blydi'

o'i flaen. Rwy'n siŵr i un o *flunkies* Beryl Vaughan ddweud, pan dderbynion nhw ein cais eleni, 'O! Yr Aled Samuel yne, mae o'n enwog am 'i adlen lipa. Rhowch o yn y gornel bella, allan o'r golwg. Ac os nad oes gwell siêp arno eleni, fe rown ni o yn Maes B flwyddyn nesa ... digon da i'r cythrel!'

Wel, mae'n amser taflu'r pegiau i'r pedwar gwynt! I lawr â'r Tentiau Tiwtonig a'u llenni plastig. Llaciwch eich adlenni, hogia! Gadewch i'r rhaffau ysgwyd yn rhydd yn y gwynt! Ymfalchïwch yn llawen yn lliprwydd eich cynfasau! Llen uwch Adlen! A oes heddwch? Fawr ddim – a'r blydi adlen 'ma'n fflapian drwy'r nos!

Eisteddfod yr Urdd — Mai 2015

Yn wahanol iawn i'n profiad ni eleni, atgofion melys sy gen i am y lletry gawson ni yn Eisteddfod yr Urdd Rhuthun 1963 – atgofion sy'n dal yn fyw yn y cof. Ffermdy oedd e, rhywle ger Pwllglas, a finne a 'mrawd Robin, a Hywel Ace, i gyd yn cysgu mewn clorwth o wely mawr. Roedd gan y perchnogion gŵn. Un yn arbennig. Collie mawr hyfryd. Mae'n rhaid 'mod i wedi hurto 'Nhad yr holl ffordd yn ôl i Bontrhyd-y-fen am y ci, a sut y bydde'n bywydau ni gymaint cyfoethocach petaen ni'n cael un. Chafon ni ddim. Ond rwy'n cofio'r arogleuon (nid dim ond gwynt y clos), rwy'n cofio'r olygfa drwy'r ffenest a threfn yr adeiladau. Yr holl bethau hynny a mwy. Dim ond noson y buon ni yno. Saith, rwy'n credu, o'n i ar y pryd, a 'mrawd yn ddeg. Rwy'n cofio llawer llai am beth wnes i ddoe. Y gwir yw ei fod e'n brofiad newydd, ac felly'n llawer mwy dwys. Rwy wedi meddwl am y ffermdy hwnnw sawl

tro wrth i mi basio ar y ffordd drwy Bwllglas i Ruthun, a hyd yn oed wedi troi oddi ar y ffordd unwaith i weld a allwn i gofio'r ffordd i'r tŷ. Dim lwc.

Ddeugain mlynedd a mwy yn ddiweddarach, yn ystod Eisteddfod Genedlaethol y Bala, roedden ni, yn ôl ein harfer, wedi mynd â'r garafán i'r Maes Carafanau Swyddogol, ac wedi stopio sawl gwaith ar y ffordd i weddïo am dywydd

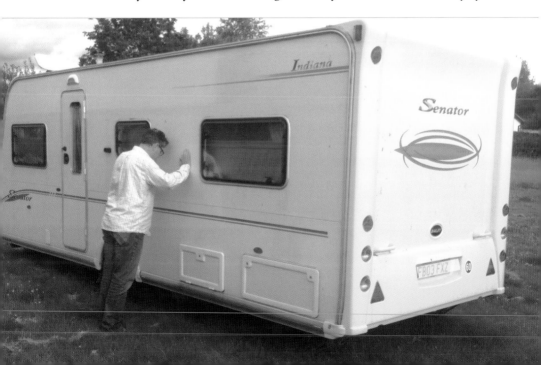

braf gan fod y garafán yn gollwng fel shite. Fe barodd yn weddol – tan nos Lun os cofia i'n iawn, pan fu'n rhaid i mi godi yn fy jim-jams yng nghanol y nos i drio rhoi tâp Gaffa o gwmpas y ffenest fawr i atal y llif rhag cwympo ar ein pennau. Straffaglu fel Canute i sychu'r ffenest â thywel mewn storom o law er mwyn i'r Gaffa gael cyfle i lynu ... yn ofer. Diolch i'r Iôr, fe ballodd y glaw. Fore trannoeth fe drodd yn braf, ac erbyn hynny, roedd llathenni o Gaffa yn swp ar y llawr. Daeth gŵr caredig allan o'r garafán gyferbyn â ni, a chynnig mwy o dâp i mi, gan ddweud, 'gyda llaw, dwi'n credu y buoch chi'n aros ar ffarm Mam a Dad ym Mhwllglas yn ystod Eisteddfod yr Urdd Rhuthun.' Ac fe ddaeth yr holl atgofion yn ôl, ynghyd â chyfle i gadarnhau ambell atgof (a chwalu ambell un arall). Ond am brofiad braf.

Yn anffodus, dyw plant heddi ddim yn cael yr un profiad. Dychmygwch gymaint cyfoethocach fydde profiad Eisteddfodol plant y gogledd eleni, 'taen nhw'n cael aros yng nghartrefi plant y Cymoedd – ac yn yr un modd y flwyddyn nesa pan fydd yr Eisteddfod yn y gogledd. Mae profiadau fel'na'n rhoi syniad mwy crwn i ni o'r genedl ry'n ni'n byw ynddi. Maen nhw'n rhan o'n DNA cenedlaethol ni.

Carafán Capers Mehefin 2016

Rwy'n teimlo y dylwn i, fan hyn, ymddiheuro i'r Urdd am beidio mynd i'r Eisteddfod eleni. Fe allen i ddweud nad oedd y garafán yn fodlon mynd i'r cyfeiriad yna, ond celwydd fydde hynny, wrth gwrs. Mae'r plant naill ai wedi pasio oed cystadlu neu wedi colli diddordeb. Nid dyna'r unig reswm, cofiwch. Wedi diodde blynyddoedd o eistedd drwy ragbrofion ar amseroedd y bydde cŵn Caer yn eu hystyried yn anwaraidd, digon yw digon. A dweud y gwir, 'wy ddim wedi bod ers sawl blwyddyn bellach, o achos Gŵyl y Gelli. Wedi gorymdeithiau hirfaith yn llusgo'r behemoth, 'gelli fynd i'r Gelli' (ond dim pellach) yw hi eto eleni.

Wedi tynnu'r garafán yno, fe sylweddoles i (yn ogystal â'r toilet diffygiol a'r batri mympwyol) nad oedd drws ar y ffwrn. Wedi chwalu'n deilchion mân fel *windscreen* car o dan bwysau'r wraig y llynedd. Peidiwch â gofyn. Does dim drws chwaith ar y rhewgell o fewn y ffrij, felly roedd popeth oddi mewn yn rhewi fel lolipop. O fenyn a letys i win ac afalau. I ychwanegu at y rhestr o ddiffygion, roedd crac mewn ffenest, dolen wedi torri ar ddrws cwpwrdd a blaen y tân trydan wedi cael fflatnar ar y llawr. Ond yr hoelen ola, fel gwaywffon drwy galon pob carafaniwr pybyr: doedd dim teclyn i agor tun, hyd yn oed.

Ar adegau fel hyn, fe fydde dyn yn tanio sigâr, rhoi J.S. Bach ar y twtddisg a synfyfyrio; er gwaetha holl drybini bywyd 'fe ddaw eto haul ar fryn', math o beth. Does gen i ddim sigârs, ac mae'r CD yn rhywbeth arall i'w ychwanegu at y rhestr o bethau sy wedi torri. Dyma droi at Crwys felly, i geisio ailddarganfod gwir bleser y 'garafán a garaf fi'. Digon o gyngor ynglŷn â golchi bratiau a'u sychu nhw ar y llwyni, ond dim am sut i sychu cynnwys yr Elsan o'r twll ... y stwff sylweddol a fethodd fynd i'r blwch pwrpasol oherwydd bod y fflysh wedi torri. Hei ho, hei-di-ho, wir! 'Marigolds mlaen, a ffwrdd â ni.'

Carafán mewn cwr o fynydd

Gorffennaf 2015

Pam fod pob carafán yn wyn? Oes rhaid iddyn nhw fod? Ydi'r lliw yn eu gwneud nhw'n fwy amlwg ar yr hewl? Os felly, pam nad yw pob car, lorri a bws yn wyn hefyd? Pam nad oes 'na rai piws â smotiau gwyrdd llachar ar yr hewl? Er, dwi'n amau fydde rhywun yn eu prynu nhw, gyda'r cyfuniad dieflig yna o liwiau, ond y'ch chi'n deall be s'da fi. Rwy'n siŵr bod lle i bersonoleiddio eich 'bin-bara'. Rhoi rhyw ogwydd *Chintzy* i'r tu fewn a'r tu fas. Achos pan y'ch chi'n gweld twr ohonyn nhw gyda'i gilydd ar y tirlun, maen nhw'n edrych fel petaen nhw newydd lanio o blaned arall. A dyna sy wedi ysgogi aelod seneddol Gŵyr, Byron Davies, i gwyno. Penrhyn Gŵyr oedd yr ardal gyntaf ym Mhrydain i'w chofrestru fel Ardal o Harddwch Naturiol Eithriadol, ac yn ôl Mr Rogers does dim lle yno i garafanau unlliw gwyn. 'Carafán mewn cwr o fynydd ...' iawn, digon teg, oni bai 'i bod hi'n wyn. Mae e am weld carafanau mewn lliwiau a fyddai'n gweddu i'r tirlun. Pa liwiau yn arbennig, tybed?

Brown a Gwyrdd.

Brown a Gwyrdd? Rwy'n credu bod yn well gen i wyn. Ro'n i'n dychmygu golygfeydd o fforestydd trwchus yn cuddio godre mynyddoedd Alpaidd, a chopaon gwyn yn cyrraedd eu pinaclau rywle o gwmpas ffenest y toilet, ambell Impala yn sboncio ar draws cwpwrdd y tanc nwy ... rhywbeth â bach mwy o ddychymyg na brown neu wyrdd! Neu, er mwyn gweddu i'r nifer o safleoedd carafanio o fewn ein dinasoedd, beth am banorama o adeiladau pigfain aml-lawr? Fe allech chi'i pheintio i edrych fel bws, drwy ychwanegu ffenestri a phobol yn edrych drwyddyn nhw, yn gwneud arwyddion anweddus, falle, neu'n dangos eu penolau. Mae'r posibiliadau'n ddiddiwedd. Mae brown i gyd (neu wyrdd i gyd) mor ddiflas – a nawr 'mod i'n ystyried y peth, 'dyw gwyn ddim yn lliw o gwbwl. *Diffyg* lliw yw gwyn. Beth ma' hynny'n ddweud wrthon ni am berchnogion carafanau? Mae'r ffaith nad y'n ni erioed wedi cwestiynu'r polisi 'gwyn' tan nawr yn dweud mwy. I'r gad! Neu i'r garej, o leia, i 'whilo potiau o baent amrywiol er mwyn dechrau ar fy nghreadigaeth.

O'r llofft daw llais rheswm.

'Wyt ti rîli isie bod yr unig *prat* yng nghanol maes carafanau'r Eisteddfod sydd â charafán fel ffrwydrad mewn ffatri baent?'

'Pwynt da, wraig.'

Flwyddyn nesa falle. Wedi'r cyfan, ry'n ni i gyd yn mynd i'r Eisteddfod i uno gyda'n gilydd i ddathlu gwerthoedd Cymreig, yn tydyn ni. Mae cael carafán o'r un lliw â'r Cymro (neu'r Gymraes) drws nesa yn arwydd cadarnhaol o'r undod hwnnw ... falle.

Therapi
Medi 2016

Fe welwch chi, ym mhob perthynas ar faes carafanau, fod un yn dweud ... a'r llall yn gwneud. Fel un na chafodd ddewis p'un ai ddylen ni brynu carafán neu beidio, gewch chi benderfynu i ba garfan rwy'n perthyn. Pan fydd angen mynd â'r garafán i rywle, mae'n rhaid ei symud. Ar ôl cyrraedd ble bynnag mae hi'n mynd, er ei bod hi'n garafán fwy diweddar, yr un yw'r gofynion: mae angen nôl dŵr, nôl nwy, llenwi'r fflysh, cysylltu'r trydan, rhoi'r traed lawr, bla bla bla ... Ateb cwestiynau fel 'Pam fod y goleuadau 'mlaen pan does dim trydan gyda ni?' neu 'Pam nad yw'r golau'n gweithio? Ma' trydan gyda ni.' Fel yr *hunter gatherer* mae pwysau arna i i wybod y pethe 'ma. 'Wy ddim. Rwy'n teimlo fel y rheiny sy'n rhedeg deg llath o flaen y frenhines yn peintio ac yn sgwrio popeth mewn golwg, i'w cael nhw'n berffaith erbyn iddi ddod heibio. Y broblem yw, dyw'r garafán ddim yn cael ei defnyddio'n ddigon cyson. 'Wy ddim yn cofio be wnes i ddoe – pa obaith sy gen i gofio rhywbeth wnes i llynedd? Rwy'n dysgu o'r newydd bob blwyddyn, felly mae'r garafán yn gronfa o gracrwydd. A dyna pam mae angen therapi arna i, cyn i mi roi llif gadwyn drwy'i chanol hi (y garafán, hynny yw). Eleni, mae'r 'cracbeth' wedi bod gyda'r Doctor Carafanau yn Pyle (yn ddigon addas) drwy'r haf. Ond nawr mae 'i hangen hi eto.

Dyw'n profiadau ni â doctoriaid carafanau ddim wedi bod yn bositif. Yn fras, maen nhw'n codi crocbris am y nesa peth i ddim o waith … neu felly y bu hi tan yn ddiweddar. Wele Richard, 'Gandhi'r Garafán'. Weles i erioed berson mor ymlaciedig yn fy mywyd, a'r wyrth yw mai trin carafanau yw ei waith bob dydd. Meddyliwch am y pwll diwaelod yna o rwystredigaeth, poen a gwewyr. Mae Richard yn sgimio ar hyd yr wyneb fel sglefriwr llawen.

'Ha, ha,' medd ef, â sbaner yn un llaw a sgriwdreifer yn y llall – does yr un job yn mynd i'w drechu … yn anffodus. Mae munud neu ddwy yn ei nirfana garafanaidd (y gweithdy) fel mis mewn *rehab*. Pam nad yw'n aelod o'r Orsedd? A thra 'mod i'n ymlawenhau yn ei allu i fficso'r bali thing ar yr un llaw, mae'r llaw arall, cofiwch, yn dal i edrych am y Bazooka. Ond am y tro, o leia, ma' hi'n barod i fynd i'r Steddfod nesa.

Ffindiwch fy Ngwraig **Awst 2016**

Un peth rwy'n 'i golli'n fawr yw'r pigau pigfain pinc. Roedd y pafiliwn pinc yn datgan ei bresenoldeb o bell a'r lliw, i mi, yn fonws. Does gan y sarcoffagws gwyn ddim carisma na chymeriad. Rwy'n gwybod bod y sain yn well yn y pafiliwn newydd, a'i bod dipyn tawelach oddi mewn, ond nawr ein bod ni wedi darganfod y defnydd gwyrthiol gwrth-stŵr yma, falle y dylid defnyddio mwy ohono yn y pebyll eraill, er mwyn sicrhau distawrwydd ym mhobman. Fysen i ddim yn mindo llathen neu ddwy ohono i wneud adlen, fel ein bod ni i gyd yn cael tawelwch. Ond manion yw'r rhain.

Ond os mai pafiliwn newydd yw'r ateb i'r Eisteddfod, y ffordd ymlaen i Eisteddfotwyr yw ap newydd i wneud y parêd o gwmpas y maes yn fwy pleserus. Chewch chi ddim byd yn fwy addas ar gyfer Eisteddfod – wedi'r cyfan, mae'r rhan fwyaf o'r Orsedd yn Ap-rhywun yn barod. Ta beth, enw'r ap newydd fydd 'Ffindiwch fy Ngwraig'.

'Ffindiwch fy Ngwraig' yw'r unig ap Eisteddfodol

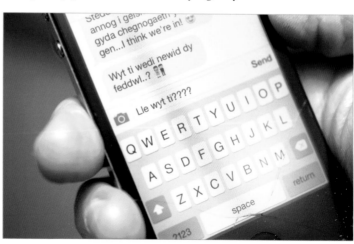

sydd 'i angen arnoch chi. Anghofiwch unrhyw adnodd sy'n dangos enillwyr y cystadlaethau a materion pitw fel'na. Wedi talu cymaint i fod yn bresennol ddylech chi wneud pwynt o wybod rhyw bethau dibwys tebyg. Mae'r tâl mynediad yn prynu cyfnod cyfyng i chi ar y maes. Mae angen gwneud y gorau ohono, drwy ymlacio a sgwrsio'n hamddenol, nid gwastraffu amser yn ceisio ffindio'r wraig. 'Ffindiwch fy Ngwraig' amdani felly, ac wedi gwthio'r bad i'r dŵr, gellid ymestyn yr ap i gynnwys 'Ffindiwch fy Ngŵr'. Er, 'wy ddim yn gweld cymaint o fynd ar honna. Falle fydde 'Collwch fy Ngŵr' yn well i'r merched. Ac o fanna, cam bach iawn yw 'Collwch fy Mhlant'– ap sy'n cynnwys opsiynau fel 'am ddeg munud', 'am awr', neu 'am yr wythnos'. Un o ddewisiadau bonws 'Collwch fy Ngŵr' fydd 'am byth'. Meddyliwch gymaint haws fydde'ch byd chi. Yn hytrach nag edrych ym mhob twll a chornel a chael tecst i ddweud 'i bod hi ben pella'r maes, anwybyddu ffrindiau agos ac anwyliaid yn eich rhuthr ar draws y maes dim ond i sylweddoli fod y neges wedi'i danfon awr ynghynt.

Ydych, ry'ch chi'n cyfarfod â lot o hen ffrindiau ar y maes, ond dim ond i ofyn 'ydych chi 'di gweld y wraig?'. Dyw e ddim yn lot o sgwrs, o ystyried mai'r peth diwetha wedoch chi wrthyn nhw oedd 'ydych chi 'di gweld y wraig?' yn Eisteddfod y llynedd. Mae 'na lu o opsiynau pellach hefyd – ystyriwch Sodom y Maes Carafanau. Dyw e ddim yn Sodom ar y foment (wel, 'wy ddim yn credu 'i fod e) ond fe alle

fe fod, gydag ychydig o ymroddiad a dyfeisgarwch. Yn hytrach na 'Ffindiwch fy Ngwraig' beth am 'Ffindiwch Unrhyw Wraig' – ac i'r gwirioneddol ddi-glem, 'Ffindiwch fy Ngharafán'. Nawr ry'ch chi'n siarad! A beth am Maes B? Yyym, falle bod dim angen help ap yn fanna. Ond y'ch chi'n gweld be s'da fi? Alla i ddim credu nad oes rhywun wedi meddwl amdano fe o'r blaen. Mae'r posibiliadau'n ddiddiwedd.

Rhaid i mi ffindio'r ffôn nawr cyn 'mod i'n rhoi'r cyfan ar fynd.

'Oes rhywun yn gwybod lle ma'r ffôn?'

'Ydi e gyda Mam …?'

Pennod 7. Y Gath

Wol y Gath

Rhagfyr 2014

Mae'n cath ni wedi mynd yn ecsentrig. Mae hi wedi bod yn reit ecsentrig erioed ... roedd hi'n arfer dod am dro gyda ni. Fe wn i fod cathod yn bethau od ar diawl beth bynnag, a'r rheiny sy'n ymwneud â nhw yn odiach fyth, ond mae'i hymddygiad hi wedi newid. Yn ddiweddar, er gwaetha'i hoedran, mae hi 'di dechrau ffrwydro ar draws y lolfa fel tae'r llawr ar dân. Ar ruth wyllt i gyflawni rhyw orchwyl pwysig, meddech chi? Na. Dim ond i gyrraedd braich y soffa.

Er nad ydw i'n ddyn cathod o'm greddf, rydw i, o reidrwydd, wedi gorfod bod ers dwy flynedd ar bymtheg. Ac mae'n rhaid i mi gyfadde 'mod i wedi mynd yr un mor rhyfedd â'r gath. Rwy'n rhyfeddu at ei

hodrwydd pan fydd yn eistedd y tu allan, yn edrych drwy'r pws-ddrws ac yn mewian. Neu ambell waith bydd yn rhoi ei phen, a'i phen yn unig, drwy'r twll a mewian – mae'n rhaid i mi gydnabod nad yw bod ar fy ngliniau yn siarad gyda'r gath drwy'r pws-ddrws yn ymddygiad naturiol chwaith. A dweud y gwir, faint o synnwyr sydd 'na mewn siarad â chath o gwbwl? Mae Wol (dyna yw ei henw hi) yn un o bâr ... neu o leia fe oedd hi. Ar un adeg roedd ganddi chwaer o'r enw Peter (peidiwch â gofyn). Tra oedden ni ar ein gwyliau un flwyddyn fe adawon ni'r ddwy gyda ffrindiau. Ar ddychwelyd, fe glywson ni'r newyddion trist fod Peter wedi dianc a, mwy na thebyg, wedi marw. Fydden i wedi talu'n ychwanegol i'r gyrrwr a'i lladdodd, i wneud yn siŵr. Dyna'r gath gasaf a fewiodd erioed, a fydden i ddim yn licio meddwl fod rhyw drueiniaid eraill wedi'i chymryd hi mewn.

Rhan o'r trafod pan oedden ni'n deulu di-gath oedd ei bod hi'n bwysig, os oedden ni am gael un, fod yn rhaid iddi gael cwmni. Tra o'n i'n trio cynefino â'r syniad o gael un, roedd gweddill y teulu, yn amlwg, yn paratoi ar gyfer menajeri cyfan o gathod. Wel, dwy. Fe wfftiwyd fy amheuaeth diniwed am yr angen i gath gael cwmni, fel 'tawn i'n hurtyn. Dim ond dweud wnes i nad o'n i erioed wedi gweld cathod yn cyd-drafod ar gornel stryd, yn rhannu jôc neu ddwy; dy'n nhw ddim yn enwog am ymhel yn gytûn, ydyn nhw, fel hyenas neu wildebeest. Wel, fe ddaeth y ddau, neu'r ddwy ddylwn i ddweud – nid bod hynny'n gwneud gwahaniaeth gan nad oedd dim yn *ladylike* am y ffordd y bu'r ddwy efaill yn darn-ladd ei gilydd, ond dyna ni, beth wn i am gathod. Ond mae Wol yn gallach nag y'n ni'n feddwl. Mae'n gwybod, nawr, ei bod hi'n Nadolig. Achos am y tro cynta, yn hongian drws nesa i hosan pawb arall yn y gegin, mae hosan y gath, ac arni: 'Anrheg y Gath' a llun pysgodyn (£7.99). O. Del te! 'Mae'n rhaid i bawb gael hosan!' Fydd 'na un i'r llygoden sy'n byw dan y sinc erbyn y flwyddyn nesa. Ond i gyd-fynd â'r ymwybyddiaeth newydd hon mae hi wedi dechrau cysgu mewn siapau Nadoligaidd. Echdoe roedd hi'n angel. Neithiwr, yn y golau iawn, coeden Nadolig. Ond 'wy ddim yn gwamalu pan ddweda i ei bod hi wastad yn ateb pan mae'n cael ei chyfarch, sy'n fwy nag y'n ni'n gael ma's o'r plant. Ond does dim syniad gen i beth mae'n ddweud, cofiwch. Ydi, mae'n ddigon diniwed, ac mae'n debyg fod rhoi mwythau i anifail anwes yn gymorth i ymestyn eich bywyd o bythefnos, neu rywbeth dwl fel'na. Dim llawer yn fwy na hynny, cofiwch, achos falle fod gan bob cath naw bywyd, ond 'dyn nhw ddim yn rhai da am rannu. 'Dyn nhw ddim yn rhai da am unrhyw beth, heblaw gwneud dim ... ac mae Wol yn dda iawn am wneud hynny.

Ond ar y llaw arall mae hi'n gath ffeind, parod ei chymwynas, wastod yn fodlon i ... Na, rwy'n mwydro eto! Mae'n gath bert, a dyw hi ddim yn gas, ond mae'n boncyrs. Nadolig Llawen Wol, er ei bod yn fythol Nadolig arni hi.

bobol 'normal'. Mae dyn yn tynnu hynny o wallt sydd ganddo ar ôl wrth orfod ateb cwestiynau fel 'Oes Wi-Fi yna?'. 'Na. Ddim yn y Notre Dame, blant. Eglwys yw hi.'

Ta beth, gogledd Sbaen! Gwyliau bendigedig. Yn anffodus bu'n rhaid i Wol y gath aros ar ôl. Fe fu Wol mewn cartre cathod flynyddoedd yn ôl, pan oedd hi'n ifanc, dim ond am ychydig – un o'r llefydd *Paws A-while* yna, neu rhyw enw carbwl tebyg. Mae pobol sy'n ymwneud â chathod yn bobol *dotty*. Am flynyddoedd wedyn, roedd Wol yn derbyn carden Nadolig gan

Wol a'r Wal **Ebrill 2016**

Yr haf diwetha fe aethon ni fel teulu ar ein gwyliau i ogledd Sbaen gyda'r garafán. Achub ar y cyfle oedden ni tra bod y plant dal yn awyddus i ddod gyda ni, felly roedd y gwyliau yma yn reit arbennig. Pwy a ŵyr, falle ddaw'r ddau eto flwyddyn nesa, ond mae gwyliau teulu 'cyfan', yn mynd yn bethau prinnach wrth iddyn nhw fynd yn hŷn, gan fod eu gofynion nhw'n wahanol i

y cartre, wedi'i gyfeirio at Ms Wolace Samuel. Ond yn driw i natur cathod roedd hi'n 'i anwybyddu e'n llwyr.

Wel, mae hi dipyn hŷn nawr, ac er iddi gael yr *all clear* cyn mynd i'r cartre tro yma, ro'n ni braidd yn bryderus, ond doedd gyda ni ddim dewis.

'Jiw, dim ond am bythefnos fydd e. Fydd hi'n iawn.'

Beth ddigwyddodd iddi tra oedden ni'n lolian yn nhonnau godidog San Sebastian, dyn a ŵyr, ond fe ddaeth yn ôl yn gwbwl ddall. Cerdded mewn i waliau, y math yna o ddallineb.

Yn ôl y milfeddyg, mae'n siŵr ei bod hi'n gymharol ddall cyn iddi fynd, ond oherwydd ei bod hi wedi arfer â phatrymau ein cartre ni, fe fydde hi wedi ymddangos yn iawn. Ie, wel, yr un yw'r patrymau hynny nawr. Fydde pythefnos mewn lle estron ddim wedi sgwrio'i chof yn lân, neu ydi hi wedi cael demensia hefyd? Cath yw hi wedi'r cyfan, nid pysgodyn aur!

Fe fuon ni'n meddwl ar un adeg mai ceisio gwneud i ni deimlo'n euog oedd hi, am ein bod ni wedi'i gadael hi (mae'n cwyno lot os y'n ni 'di bod ma's drwy'r dydd) ac fe gawson ni sawl 'Aha! 'Wy bron yn siŵr i mi 'i gweld hi'n pipo fanna nawr, cyn rowlio lawr y staer ...' ond na, wedi wyth mis o bwmpo mewn i'r wal a chwilio am y pws-ddrws, bydde angen stamina fel Anti Marian arni i gadw'r gêm mlaen am gyhyd â hynny. Mae Wol yn ddeunaw nawr, er nad yw hi'n edrych yn ddeunaw, ac er gwaetha'i phroblemau mae'n ddigon hapus. Wel, dyw hi ddim yn gwenu lot, ond dangoswch gath i mi sydd *yn* gwenu! Tipyn o oedran i gath, mae'n debyg. Rydw inne hefyd wedi cyrraedd carreg filltir nodedig. Felly fe ddaeth henaint i mi a'r gath ar yr un adeg. Er nad ydw i'n cerdded mewn i'r walydd eto, 'wy ddim yn gweld unrhyw beth yn eglur heb fy sbectol. Fe waeddes i ar y plant rownd drws y stafell stêm yn ein pwll nofio lleol dros y penwythnos, 'Siapwch chi ma's o fanna nawr, achos ma' te ar y ford mewn deng munud!' cyn cerdded mewn i'r ystafell newid a gweld y ddau yno'n sychu. Pwy oedd y ddau berson arall yn y niwl o ager, tybed? Dyw Wol ddim wedi gwneud hynny eto.

Wol a'r lygoden Gorffennaf 2016

Mae'r gath yn eistedd weithiau o fewn modfedd i'r wal. Yn wynebu'r wal. Fel plentyn yn pwdu. Dyw hi ddim yn gwybod ei bod hi o fewn modfedd i'r wal, gan ei bod hi'n ddall. Sgwn i oes ganddi ddelwedd o'r hyn sydd o'i blaen hi? Yr haul yn disgleirio ar fynydd o duniau bwyd cath, falle? Mae hi hefyd wedi dechrau gorwedd mewn mannau amhriodol, fel ar y grisiau. Tipyn o gamp yw cario llwyth o lestri lawr staer a cheisio'i hosgoi hi. Ta beth, fe fu golygfa abswrd yn yr iard gefn yr wythnos ddiwetha, rhwng y gath a llygoden led ddiglem. Fe ddigwyddodd wrth i mi fynd allan i roi golch ar y lein. (Y'ch chi'n gweld pa mor ddomestig ydw i? Mae fy rhestr o orchestion yn ddi-ddiwedd.) Dyna lle oedd y gath yn lolian ar y slabs yn yr haul, yn breuddwydio am wyliau yn Miawami, neu lle bynnag mae cathod yn mynd i gael lliw haul, ac ychydig fodfeddi oddi wrth ei thrwyn roedd llygoden yn bwyta deilen. Ydi llygod yn bwyta dail? Wel, fe oedd hon. Alla i ond meddwl fod y naill mor ddall â'r llall.

Am flynyddoedd pan oedd Wol ar ei hanterth, fi oedd yr un yn y tŷ oedd yn achub llygod rhag y gath. Tra oedd Rhian a'r plant yn ffrwydro â llawenydd ('Hwre! Mae'r gath wedi dal llygoden, mae'r gath wedi dal llygoden!') fel Sant Ffransis o Assisi fi oedd yr un oedd yn camu i'r adwy â rhwyd bysgota i achub y creadur hanner marw druan rhag ei ddiwedd, a'i ryddhau (yn eironig) i'r fynwent. Nid dim ond llygod, ond colomennod a chwningod hefyd. Mae'r dyddie hynny wedi hen basio. Dyw'r gath ddim wedi dal dim ond annwyd ers sawl blwyddyn, ac eto, os bu cyfle ar blât, dyma fe. Ta beth, *cut to the chase*, fel maen nhw'n dweud yn Hollywood. Bant â fi ar hast i chwilio am y rhwyd, ond roedd y rhwyd wedi hen fynd. 'Nôl i'r iard ar frys, er nad oedd rhaid i mi frysio mewn gwirionedd gan fod yr olygfa yn union fel ag yr oedd hi. Mae'n amlwg nad oedd yr un o'r ddau wedi gweld rhifyn o *Tom and Jerry* erioed. Fe lwyddes i ffindo darn o bren i drio gwthio'r llygoden i ffwrdd cyn i'r gath fwstro, neu o leia i'w ffroenau gofio sut ogle oedd ar lygoden wedi'r holl flynyddoedd. Dim symudiad. Os rhywbeth, fe eisteddodd yn stond gan adael i'r pren suddo mewn i'w bloneg ac allan eto heb symud, dim ond parhau i fwyta'n herfeiddiol. O brocio'n galetach, fe safodd ar ei choesau ôl, cystal a dweud 'come an' ave a go if you think yer 'ard enough!' Ta beth, fe gododd Wol ei phen ac edrych o'i chwmpas, hyd wisgers oddi wrth y llygoden, (a wnaeth ddim i guddio, na chelu, ei phresenoldeb) cyn rhoi ei phen i lawr eto a mynd yn ôl i gysgu. Pathetig! Un proc arall, caletach, gobeithiol, i'r llygoden, ac off â hi fel mellten i gyfeiriad drws agored y tŷ, cyn gwibio i'r dde a thu ôl i'r biniau. Erbyn hyn roedd Wol ar ei chefn a'i choesau yn yr awyr yn trio amsugno cymaint o belydrau ag oedd yn bosib. Digon o ofid am un dydd. O leia fe lwyddes i achub bywyd y llygoden rhag ei thueddiadau Kamikaze.

Awr yn ddiweddarach roedd y llygoden yn gorff yng nghanol yr iard. Yr unig beth alla i feddwl yw bod y gath wedi eistedd arni mewn camgymeriad.

Ailgylchu

Gorffennaf 2015

Fe gofiwch chi, dair wythnos yn ôl, i mi barêdo o gwmpas y dre yn ymffrostgar yn dilyn yr anrhydedd o fod yn 'Ailgylchwr Da/Good Recycler'. Roeddwn i'n gwybod fy mod i, achos roedd y bobol neis o'r cyngor – pobol sy'n gallu adnabod gwŷr cydwybodol o egwyddor – wedi gosod sticer ar y bin yn dweud hynny. Wel os do fe! Roedd pawb yn Llandeilo, bron, wedi cael yr un sticer â mi! Ac rwy'n gwybod, does *neb* yn rhoi cymaint o fagiau ailgylchu

ma's â fi. Sut wyt ti'n gwybod, meddech chi? Weda i wrthoch chi. Rwy wedi bod rownd y tai yn cyfri!

Ond falle 'i fod e'n beth da fod pawb wedi cael sticeri – fydd 'na ddim bicera ynglŷn â phwy sy'n gwneud y mwya wedyn. Dyw gweddill fy nheulu'n sicr ddim mor awyddus i osod sbwriel yn y mannau pwrpasol. Mae'n haws iddyn nhw i fynd i un o'r canolfannau yna, ble mae llun beth bynnag ry'ch chi fod i'w roi yn y sgip, *ar* y sgip. Neu dyllau yn siâp y gwrthrych yn nhop y sgip. Mae'r poteli yn mynd i'r twll siâp potel, mae'r papurau newydd yn mynd drwy'r twll sy'n edrych fel twll llythyrau. Yn'dyw bywyd yn syml. Mae'r casgliadau gwahanol hefyd yn ein gwneud ni'n fwy ymwybodol o'r hyn ry'n ni'n gynhyrchu a ble mae e'n mynd.

Ble *mae* e'n mynd? Oes rhywun yn gwybod? Yw gofyn y cwestiwn yn bod yn rhy gydwybodol, falle? Does dim rhaid i chi wybod ble mae e'n mynd, dim ond 'i fod e'n mynd i rywle. Diolch i'r Iôr, mae agwedd pobol tuag at ailgylchu wedi newid rhyw ychydig erbyn hyn. A 'wy ddim yn sôn am y cyhoedd, ond am y cynghorau.

Flynyddoedd yn ôl fe brynes i wlâu o siop Lychlynnaidd nid anenwog yng

Nghaerdydd. Doedd dim posib dod â nhw adre gyda fi felly dyma drefnu cwmni i ddod â nhw i'r tŷ. Fe ddaeth y gwlâu mewn dau focs cardbord naw troedfedd wrth chwech, gyda fy enw a'r cyfeiriad wedi'u plastro ar hyd y tu allan. Wedi dadbacio'r bocsys ac adeiladu'r byncs roedd hi'n amser gwneud fy nyletswydd fel 'Ailgylchwr da/Good Recycler' a mynd â'r bocsys i'r compownd ailgylchu ar ben yr hewl, a'u gadael nhw o fewn y muriau pren.

Wythnos yn ddiweddarach cefais alwad ffôn.

'Hello, is that Mr. Samuel?'

'Yes,' medde fi. 'Wy ddim yn ddyn i osgoi y cwestiynau caled.

'I'm phoning from the council to advise you that you may well be prosecuted.'

'Oh,' medde fi, 'on what grounds, exactly?' er 'mod i'n gwybod yn iawn pam.

'You've left rubbish in the recycling compound.'

'Yes, I have,' medde fi, oherwydd mai dyna lle roedd e i fod. 'I think you'll find, at the bottom of both boxes, two large recycling symbols. Therefore, I would hazard a guess that they are recyclable, which is why I placed them within the walls of the Recycling Compound. Will that be all?'

'They were not in the proper containers, and now they're wet.'

Roedd y cardbord i fod i fynd i'r un sgip â'r papurau newydd drwy'r twll llythyrau, ac roedd y bocsys yn naw troedfedd wrth chwech. Roedd hi'n disgwyl i mi sefyll yna am rai dyddie, mae'n amlwg, yn rhwygo'r bocsys yn ddarnau troedfedd o hyd er mwyn eu bwydo nhw drwy'r twll. Fe wedes i wrthi, yn ddigon cwrtais: os oedden nhw am i bobol fynd â'u deunydd ailgylchu i'r man priodol roedd angen sgip digon mawr, ac os nad oedden nhw am wneud hynny, fod angen casglu'r cardbord cyn 'i fod e'n cael cyfle i wlychu.

'How dare you!' Falle na fues i cweit

mor gwrtais ag yr o'n i'n bwriadu bod. 'We may well take you to court, Mr Samuel.'

'Please do. I'll look forward to that.'

Ddeng mlynedd yn ddiweddarach rwy'n 'Ailgylchwr Da/Good Recycler'. Rhyfedd o fyd. Sgwn i yw hi wedi cael ei hailgylchu i adran arall …

Lap wast

Fe ddwedodd y gomediwraig enwog Victoria Wood beth amser yn ôl eich bod chi'n gwybod pan y'ch chi'n ganol oed achos ry'ch chi'n siarad lot am sbwriel. Fe fydde'r wraig wedi eithrio'r gair 'am' o'r frawddeg ola yna, ond gwae i fenyw ddod rhwng dyn a'i sbwriel. Ta beth, dim ond ailadrodd yr hyn sy'n digwydd i mi ydw i – alla i ddim helpu 'i fod e'n ymwneud â rybish, *eto*.

'Alla i siarad â phennaeth yr Adran Cymhlethdod Diangen, os gwelwch yn dda?' Dyna'r cwestiwn y dylen i fod wedi'i ofyn, ond fe es i lygad y ffynnon yn lle hynny: swyddfa'r Cyngor.

'Oes bagiau sbwriel gyda chi?'

'Pwy liw bagiau y'ch chi moyn?'

'Pob lliw, os gwelwch yn dda.'

'Dim ond rhai glas sy 'da ni.'

'Pam o'ch chi'n gofyn 'te?'

'Achos allwch chi gael y gweddill o rywle arall.'

'O. Reit. Gaf i rai glas 'te. Lle alla i gael y gweddill?'

'Pwy liw?' (Co' ni off 'to.)

'Wel, hyd y gwn i, dim ond tri lliw sydd, yndife?'

'Na – mae du, glas, a mae dou wyrdd.'

'Rwy'n gwybod bod un o'r rhai gwyrdd ar gyfer bwyd wast, ond beth yw'r llall?'

'Garden waste.'

'O'n i ddim yn gwybod 'u bod nhw'n casglu wast gwyrdd o'r ardd.'

'Ydyn.'

'Reit ta, fe gaf i bobo bacyn o'r rheina a bagie du, os gwelwch yn dda.'

'Chi'n gorfod prynu rhai du eich hunan.'

'Ers pryd?'

'Three years.'

'Nefi bliw.' (Henaint neu demensia yw hwnna, gwedwch?)

'Ma' dynion y bins yn dilifro'r rhai gwyrdd bwyd. Bydd rhaid i chi ffono ar y ffôn rownd y gornel a gofyn amdanyn nhw *direct*.'

'Reit ta. Gaf fi fags gwyrdd ar gyfer wast o'r ardd 'te.'

'Three pound fifty.'

'Three pound fifty? Faint sy mewn rolyn?'

'Byti ugain.'

'Ma' hwnna'n eitha lot, yn'dyw e? Fe bryna i rai o B&Q.'

'Wnewn nhw ddim cymryd nhw!'

'Pam? pwy wahaniaeth mae e'n neud?'

'Fydd logo'r Sir ddim arnyn nhw.'

'Nage'r logo maen nhw'n casglu. Y wast o'r ardd sy'n bwysig, yndife?'

'Nage fi sy'n neud y rheolau.'

'Does neb yn dweud hynny. Felly, 'sen i'n rhoi wast o'r ardd ma's mewn bag gwyrdd a logo ... Ceredigion arno fe, er enghraifft, fydden nhw ddim yn 'i gasglu e?'

'Pam ddylen ni gasglu bags Ceredigion?'

'Trio gwneud pwynt o'n i mai *cynnwys* y bags gwyrdd sy'n bwysig, nid y logo ar y bag. Beth maen nhw'n wneud â'r wast, ta beth?'

'Neud compost.'

'Y stwff yna maen nhw'n werthu yn y dymp?'

'Ie.'

Felly er ein bod ni'n talu treth y Cyngor yn barod, ry'n ni hefyd yn gorfod talu'n ychwanegol i brynu'r bagiau oddi wrth y Cyngor, a dim ond oddi wrth y Cyngor, er mwyn casglu'r wast o'r ardd, er mwyn i'r Cyngor wneud arian ma's ohono fe. Cynllun a fydde'n gwneud i Al Capone wrido.

Maen nhw'n dweud yn y cylchlythyr fod y Sir ar y blaen i weddill Cymru a'n bod ni eisoes yn ailgylchu 60 y cant o'n sbwriel. Allech chi wneud y tro ag ailgylchu'r cylchlythyr cyn 'i ddanfon e – 'wy ddim yn nabod neb sy wedi'i agor e erioed. Os fydd e'n ein cyrraedd ni ar ddydd Llun drwy'r post, mae e 'nôl gyda chi yn y *recycling* erbyn bore Mercher, heb ei gyffwrdd. Allech chi arbed siwrne wast iddo fe (esgusodwch yr eironi) a'i roi e'n strêt mewn i'r bag glas yn y *depot*, a defnyddio'r arian fyddwch chi'n ei arbed i roi bagiau gwyrdd i'r ardd i ni. Fi yw'r boi i lefaru ar y busnes ailgylchu 'ma, mae'n amlwg! Rwy'n rhugl mewn 'rybish'.

Gyda llaw, fel ailgylchwr da, ga i awgrymu – petai diddordeb 'da chi – y gellid ailgylchu'r erthygl yma ac arbed hyd yn oed mwy o arian i'ch cyngor lleol. O leia mae'r bagiau glas ailgylchu'n rhad ac am ddim ...*while stocks last*, o leia.

Tu ôl i'r felin ...   **Gorffennaf 2015**

Un o atgofion mwya clir fy mhlentyndod yw canu'r gân 'Tu ôl i'r dorth mae'r blawd ...'. Pictiwr amryliw o fyd perffaith, difrycheuyn.

Ond och a gwae, ry'n ni wedi bod drwy lot ers hynny yn'do fe. Ry'n ni wedi gorfod ysgwyddo baich euogrwydd ein cyndeidiau oherwydd iddyn nhw ddyfeisio'r Chwyldro Diwydiannol, a thaflu pob math o fryntni i'r amgylchedd gan roi sylfaen i or-dwymo bydeang. Mae'r ffaith fod y chwyldro diwydiannol wedi bod yn allweddol i gynhaliaeth yr hil ddynol a datblygiad dyn ar y ddaear yn angof. Manion, o'u cymharu â'r potsh mochyn ry'n ni wedi'i wneud o'r greadigaeth yn y cyfamser. Ry'n ni wedi godro'r ddaear o'i holl rinweddau, gan adael y blaned yn hesb. Bring it on! Ie, ni wnaeth hynny. Wel, nid ni yn union, ond ni, y genhedlaeth bresennol sy'n gorfod ysgwyddo'r baich o ddelio ag e. Roedd bod yn fan geni i'r Chwyldro Diwydiannol yn fater o gryn falchder ar un adeg. Ond cyn bo hir fe fydd gwledydd mwyaf llygredig y byd yn troi arnon ni yma yng Nghymru, gan ddweud, 'Chi ddyfeisiodd y dam peth yn y dechrau. Eich bai chi yw hyn i gyd!'

Felly, pan ddechreuwyd sôn am ffyrdd o greu ynni di-lygredd gan ddefnyddio egni naturiol – wel, y fath gyffro. Oedd e'n bosib? Hwrê, fe allwn ddiosg ein heuogrwydd torfol am ddifetha'r blaned, ac edrych ymlaen i ddyfodol ... nid disglair yn union, ond ychydig yn fwy derbyniol.

Rwy'n gwybod bod dadle di-ri am rai o agweddau egni naturiol, a bod protestiadau dros ac yn erbyn creu pŵer o'r fath. Ar un olwg mae'r syniad o gael mwy o geir trydan ar yr hewl yn gwneud lot o synnwyr – wedi'r cyfan, bydd llawer llai o lygredd, hwrê! Ond mae'n rhaid i'r trydan i bweru'r ceir yna ddod o rywle, os y'n ni am weld y math o gynnydd mae'r Llywodraeth yn sôn amdano. A chan eu bod nhw'n awyddus i ni ddefnyddio'r dechnoleg werdd, ry'n ni'n sôn am lawer iawn mwy o felinau gwynt ar draws y wlad. Bydd eich paneli solar a'u hegni glân yn ddi-werth. Dy'ch chi ddim yn mynd i weld yr haul drwy'r fforestydd o felinau gwynt. Ry'n ni nawr mewn sefyllfa swreal lle mae rhai o arbenigwyr mwya'r mudiad gwyrdd yn dadle fod ynni niwclear yn opsiwn

iachach, er nad oes syniad 'da ni beth i wneud â'r wast. Ond mae rhagoriaethau ynni gwynt yn berffaith amlwg i ni i gyd. Mae'r gwynt am ddim, mae e'n troi breichiau'r felin, ac mae e'n creu egni trydanol. Mae hyd yn oed plentyn yn gallu deall symlrwydd o'r fath ...?

Yr wythnos ddiwetha cafwyd rhybudd gan arbenigwyr ynni'r wlad. Mae'r Grid Cenedlaethol yn casglu mwy o drydan nag sydd angen fel arfer. Mae hyn er mwyn sicrhau fod digon o gyflenwad pan ddaw'r tywydd oer, annisgwyl hwnnw. Ond yn ôl y sôn mae'r swm o drydan sydd dros ben yn gostwng o flwyddyn i flwyddyn. Be sy'n gyfrifol am y gostyngiad? Diffyg gwynt! Mae'r blaned sy'n hesb o bopeth arall hefyd wedi colli'i bwff. Mae hyd yn oed y greadigaeth yn rhoi lan arnon ni. Os gawn ni aeaf arall o *low wind*, erbyn 2016–17 fyddwn ni mewn picil.

Nefi bliw, maen nhw'n ddewr iawn yn mentro rhagweld pŵer y gwynt mor bell ymlaen â hynny. Mae'n trip ysgol Sul ni ddydd Sul. Mae rhagolygon y tywydd wedi newid deirgwaith mewn tridiau. O, wel; '... tu ôl i'r felin, draw dros y bryn, mae womper o bwerdy niwclear arall ar fin ymddangos.'

Pennod 9. Yr Ardd

Malwod

Ry'n ni ar fin cael ein traflyncu gan dramorwyr! Nid o Romania a Bulgaria – er y gallech dyngu, o ddarllen ambell bapur, fod y ddwy wlad uchod yn wag gan fod eu holl drigolion yma'n byw ac yn gweithio, tra maen nhw hefyd yn manteisio ar ein gwladwriaeth les ac yn y blaen, ac yn y blaen. Na, does gan y miliynau o fewnfudwyr sy'n bygwth ein heiddo ddim diddordeb mewn gwaith.

'Shirkers, felly!' meddech chi. Wel, ie ... o fath. Malwod, i fod yn fanwl gywir. Nid yr hen falwen Gymreig ddiniwed hoff – fyddech chi ddim yn gwarafun ambell fefusen i honno, ond y Falwen Sbaenaidd. Rhyw Gonquistador o falwen yn swagar i gyd, a'i bryd ar waredu popeth bwytadwy o'ch gardd. Armada ohonyn nhw, ar eu ffordd i ysbeilio'ch sbigoglys. Rwy'n gwybod bod cwyno am wŷr y tollau ym mhorthladdoedd y sianel, eu bod nhw wedi bod yn araf yn eu gwaith, ond diawl, siawns na allen nhw ddal ambell falwen?

Y gwir yw eu bod nhw yma'n barod, ac wedi bod ers amser. Sut, a pham, maen

nhw yma, alla i ddim dweud wrthoch chi, ond *maen* nhw yma, ac yn awchu i dwco mewn. Felly jyst pan oeddech chi'n meddwl 'i bod hi'n saff i fynd yn ôl i'r ardd – ymadrodd yw hwn, gyda llaw; fel pob garddwr panto, rwy'n gwybod nad yw hi byth yn saff i fynd i'r ardd, ond a'r tywydd yn cynhesu, falle bod angen tacluso yma a thraw? Na, fy nghyngor i chi yw peidiwch â mentro!

Yn ôl arbenigwyr o'r John Innes Centre, (rhyw fath o *Slug Central*) mae 'na 200 o wlithod neu falwod ym mhob metr sgwâr o'ch gardd. Dau gant! A chan fod y gallu ganddyn nhw i ddyblu mewn nifer erbyn canol haf, Duw a'n gwaredo! Nid dyna'r gwaetha chwaith, achos cyfartaledd ar gyfer malwod Prydeinig yw hynny, ac mae'r malwod Sbaenaidd yn ailgenhedlu ddwywaith cymaint – wrth gwrs eu bod nhw – ac yn gallu tyfu i hyd o chwe modfedd! Erbyn i'r *Daily Mail* gael gafael ar y stori fe fyddan nhw'n droedfedd a hanner, o leia.

Gan fod y tywydd wedi bod yn fwyn, er na sylwes i ddim, mae'n golygu bod y cythreuliaid bach wedi bod wrthi o dan y pridd drwy'r gaeaf. Does dim amdani felly: ma's â'r pelets! Wfft i'r adar mân, mae gen i ginabêns i'w gwarchod! Ond yn anffodus, dyw e ddim cweit mor hawdd â hynny. Mae gan falwod Sbaenaidd haenen ychwanegol o lysnafedd, ac felly mae pelets yn tasgu oddi arnyn nhw fel Smarties. Yn ôl ffigyrau swyddogol, fe laddodd garddwyr Prydain 4,000 o falwod y mis, ar gyfartaledd, y llynedd. 'Wy ddim wedi bod yn yr ardd ers yr hydref. Ugain mil o falwod mileinig yn cnoi eu ffordd ar draws yr ardd a dim i'w stopio nhw. Mae'n siŵr o fod yn olygfa debyg i'r Somme. Heb y pridd falle … â chymaint â hynny o falwod, prin bod lle i bridd.

Mae'n amlwg fod angen gweithredu ar frys. Mae'r malwod yma'n difetha'n gerddi – gerddi a allai gael eu difetha gan falwod Prydeinig, a dylai garddwr gael y dewis o bwy sy'n mynd i frathu ei fresych, sglaffio ei sbrowts neu lowcio ei letys.

Amddiffynnwch eich ffa! I'r Gardd! I'r Gardd, dewch Gymry hen ac if…

y Border Bach Mai 2015

Rwy'n hoff o'r ardd … yn yr un modd ag rwy'n hoff o'r soffa. Hynny yw, lle braf i eistedd i ddarllen papur neu lyfr yw'r ardd i mi. Fe fyddwn i'n hurtyn 'tawn i ddim yn cydnabod bod rhaid gwneud rhyw fath o waith cynnal a chadw, weithiau, ond i mi, mae yna ben draw. Diweddglo.

Sgen i ddim diddordeb o gwbwl yn y broses o ymlafnio cyson i gael yr ardd i edrych yn fendigedig er mwyn parhau i weithio ynddi. Rwy'n gallu uniaethu'n llwyr â pherchnogion y tai bonedd a gyflogodd lengoedd o fflyncis i wneud y gwaith, tra oedden nhw'n cyfarth ordors: 'left a bit, right a bit …' drwy ffenest y *drawing room* dros gopi o'r *Sporting Life*.

Fe godes i gennin rai dyddie'n ôl. Rhyw bethau tenau oedden nhw hefyd, a'u hanner nhw wedi rhedeg. Wedodd fy mam-yng-nghyfraith, 'Da iawn chi, ry'ch chi 'di cael rheina am ddim. Does ond rhaid i chi 'u rhoi nhw yn y tir ac fe dyfan.' Wel odyn, maen nhw wedi tyfu. Ond ddim llawer, o styried iddyn nhw fod yn y ddaear am flwyddyn ... neu felly mae'n teimlo. A dyna pam rwy'n gwarchod fy hun rhag y siom drwy wneud cyn lleied ag sy'n bosib gyda'r busnes tyfu yma. Ond mae'r wraig wedi bod bant am gryn dipyn o amser nawr, a finne wedi bod yn brysur yn jyglo plant a gwaith (amldasgio? Ie! A hynny mewn trowsus, cofiwch), 'sdim un ohonon ni wedi cael y cyfle i wneud rhyw lawer.

Ond codwyd fy nghalon. Wrth deithio o gwmpas gerddi anferth i ffilmio'r gyfres *Gerddi Cymru*, darganfyddais fod lle

cydradd – yn enw datblygiad a pharhad – i'r llif-gadwyn a'r *digger*, y rhaw-law, a'r sprincler. Rwy wedi darganfod fy arbenigedd. Lladd a llosgi. Elfennau pwysig, os nad allweddol, yn y broses o lunio gardd. Hyd yn oed un sy 'run maint â hances boced. Beth yw cynaeafu ond lladd? Mae pob blodyn mewn fâs, pob bresychen a phob taten wedi'u lladd. Yn y broses o'u casglu ry'n ni'n gorfod eu gwahanu o'r hyn oedd yn eu cynnal.

Fe weles i, yn un o raglenni David Attenborough, fod rhai planhigion yn gorfod cael eu llosgi'n ulw cyn y gallan nhw dyfu eto, fel y ffenics. Felly rwy'n gwneud cymwynas â'r greadigaeth fawr. Ac yn awr, yn hytrach na chwilio am esgusodion am beidio mentro ma's, fe fydda i'n trotian i'r ardd fel y Grim Reaper â phladur betrol newydd sbon danlli yn ei fysedd sgerbydllyd.

Yn anffodus, mae pris i'w dalu am yr orji yma o gariad tuag at y greadigaeth. Mae e fel rhoi'r allwedd i Eden i'r Diafol, achos ma' golwg y cythrel yna nawr ... ond diawl, mae e'n sbort – ac mae hyd yn oed Leylandii yn tyfu'n ôl, medden nhw. Mae'r border bach tipyn byrrach nawr.

'Mae'n Wanwyn!' Ydi, yn dechnegol. Dyw hi ddim 'di bod yn lot o aeaf, ydyw hi? Ond dyw'r ffaith fod y calendr yn dweud ei bod hi'n Wanwyn yn ddim llawer o sbardun i ailymweld â'r ardd am y tro cynta ers yr Hydref. 'Mae ŵyn ar y dolydd!' Mae ŵyn ar y *piggin* dolydd drwy'r flwyddyn erbyn hyn, neu felly mae'n ymddangos. Ond fel cyflwynydd parchus rhaglen deledu am erddi mae'n amser i mi ymwroli unwaith eto, dringo mewn i'r welingtons a thynnu cwpwl o chwyn, sbo. Y broblem fwya sy gen i yw wolpyn o goeden geirios smal (dy'n nhw ddim hyd yn oed yn geirios go iawn!) – yr hyn mae'n cyfeillion dros y ffin yn ei alw'n Ornamental Cherry. Beth yw pwrpas rhywbeth fel'na? Y'ch chi ddim yn plannu Ornamental Celery, ydych chi? Os na allwch chi eu bwyta nhw beth yw'r pwynt o'u tyfu nhw? Ac os dorrwch chi gangen, fe daflith wreiddiau fyny ymhob man. Triffid o beth! Felly, yr unig beth i'w wneud yw ei difa hi, unwaith ac am byth.

Yn'dyw hynna'n swnio'n benderfynol? Geiriau dyn cadarn!

Ac maen nhw'n eiriau rwy wedi'u hyngan ers sawl blwyddyn, bellach. Ac wrth gwrs, yn wyneb y bygythiadau gwag

yma, mae'r fflipin goeden yn chwerthin arna i gan dyfu o leia bedair troedfedd arall ers i mi ddechrau ei thrimio. Achos 'trimio' yn unig 'wy wedi'i wneud. Oes, mae ambell gangen wedi mynd, ond manion yw'r rheiny, tamaid i aros pryd. Corff y goeden sydd angen ei chwympo, y boncyff mwya. Dyw hi ddim cweit yn Giant Redwood, ond un gaeaf arall ac fe fydd hi'n ddigon trwchus i allu bwrw twll maint wilber drwyddi. Felly mae'n rhaid iddi fynd. Rwy

wedi paratoi'r ffordd. Fel arwydd i'r goeden fod ei thranc yn agosáu, mae ysgol wedi'i gosod yn ei herbyn ers sawl blwyddyn. Mae'n siŵr o fod wedi tyfu gwreiddiau erbyn hyn, a falle gawn ni ddail arni eleni (yr ysgol, hynny yw).

Roedd gyda ni goeden ewcalyptus hyfryd a dyfodd ymhell dros wythdeg troedfedd. Mi aeth i fyny fel roced. Yn amlwg o bobman – o'r lleuad hefyd, mwy na thebyg. Fe wnes i adeiladu den i'r plant o gwmpas y boncyff, tua deg troedfedd o'r llawr. Campwaith pensaernïol, gydag ochrau a thipyn o nenfwd. Wnaethon nhw ddim 'i drwyno fe. Plant! Ta beth, fe wedodd cymydog wrtha i un diwrnod fod y goeden wedi marw.

'O, siwt wyt ti'n gwybod?'

'Does dim dail arno fe.'

Reit. Ma' hwnna'n dipyn o gliw, yn'dyw e. Oherwydd yr uchder, bu'n rhaid i bobol broffesiynol ei thynnu lawr. Ond dyw hon ddim mor uchel, ac mae'n rhaid cyfadde, mae 'na bleser i'w gael o allu trechu byd natur eich hunan heb orfod galw am help.

Tydw i ddim mor sionc ac eofn ag yr oeddwn i yn fy llencyndod. Ac mae sawl ffactor arall i'w ystyried. Er mwyn ei dymchwel hi i'r cyfeiriad cywir, mae'n rhaid i mi gyrraedd man lle galla i lifio am i lawr. Does gen i ddim harnes na rhaffau. Dyn dwl iawn sy'n mynd i ben coeden heb yr offer cywir. Ar ben hynny, llif dwy law sydd gen i. Fe alla i ei defnyddio hi ag un llaw, gan afael yn y goeden â'r llaw arall, ond mae'n droedfedd o drwch. Allen i fod yno am awr!

Mae'r pwyntiau hyn i gyd yn ddilys. Ond rhyw ddeg y cant o'r esgus 'n nhw mewn gwirionedd. Y gwir reswm yw 'mod

Yr Ewcalyptus yn 1999

i ofn drwy 'nhin. Ond os o'n i'n mynd i siomi'r wraig roedd angen paratoi'r ffordd.

'Alla i ddim 'i wneud e heb raffau, ti'n gweld ... a 'sda fi ddim rhaff.'

'Beth am hwn?' Rhaff sgipio?

'O, diolch, ond 'wy ddim yn meddwl fydd e'n ddigon hir.'

Ffiw! Ro'n i'n credu 'mod i 'di dod bant â hi nes i'r wraig ddychwelyd o'r siop â deg llathen ar hugain o raff neilon tri chwarter modfedd, digon cryf i grogi cwpwl o eliffantod. Dim lle i guddio. 'Sdim amdani ond jibo. Ond does dim gwarth mewn bod yn baish byw, os mai'r unig ddewis arall yw arwr sy'n fflat, fel pancosen, ar y patio.

Pennod 10. Fy Nhad ac eraill

Fy Nhad

Gorffennaf 16

'Wy ddim yn siŵr a yw sgrifennu am farwolaeth rhywun annwyl yn beth addas ar gyfer ei gyhoeddi yn fan hyn, ond ta beth, fe fu farw 'Nhad yr wythnos ddiwetha yn 91 mlwydd oed.

Fu e erioed yn ddilynwr ffasiwn. Os oedd angen un o weddnewidiadau Huw Ffash ar unrhyw un, fy nhad oedd e. Cardigan frown Aran, siorts (er mwyn arddangos ei goesau dryw), socs a sandals. Dim embaras.

Diddanwr heb ei ail oedd fy nhad. Dim ond piano a llais oedd angen arno, ac fe alle gadw pawb yn ddiddig am oriau. Yn y blynyddoedd hynny wedi i fy mam farw, pan oedd neb yn disgwyl iddo bara pythefnos, fe daflodd ei hunan i mewn i bob math o weithgareddau. Gwersi amrywiol, teithiau i bobman, o Batagonia i Bangkok. 'Shwt drip gest ti, Dad?' 'O, ti'n gwbod, tri phryd y dydd, bar am ddim a phiano yn y cornel. Beth arall sy eisiau?' Dyna'r ateb bob tro, boed Amsterdam neu Aberystwyth. Dyn cymdeithasol, a'r parti yn un symudol. Am ddegawdau mae pobol wedi fy holi i ar ben hewl, 'Siwt ma' fe? Fe gawson ni 'i gwmni e yn bla-di-bla ...' ac ynghlwm â phob ymholiad bydde 'na atgof o ganu a chwerthin. Mae nifer fawr o blant ysgol Pont-rhyd-y-fen, disgyblion o dan ei brifathrawiaeth, yn clodfori ei allu i ddod â gwersi'n fyw, ac yn diolch am yr awydd i gystadlu. Pobol sy nawr yn eu saithdegau yn 'i gofio fe, ynghyd â Tommy Schofield, yn cyfieithu caneuon pop y dydd i'r

Gymraeg yn Llangrannog pan oedd y gwersyll yn ddim mwy na phebyll, cae, 'Nefol Dad...' a phiano. Cafodd foddhad hefyd wrth drefnu a chynhyrchu cyfresi Radio fel *Pupur a Halen* – cyfresi a gynlluniwyd, bron, i arddangos ei dalentau. Mae cannoedd mwy o enghreifftiau eraill y gallwn eu crybwyll.

Roedd Alwyn y dyn teuluol yn berson gwahanol. Mae'n rhyfeddod ein bod ni blant yn gallu nofio o gwbwl, yn ôl y maint o heli welson ni. Pan fydden ni'n mynd i lan y môr, roedd yn rhaid mynd i draeth Llanddona. Traeth mor fas fel y gallech gerdded i Lerpwl heb wlychu mwy na gwadnau eich traed. Nid nofio oedd apêl y traeth felly, ond y parcio di-dâl. Tra oedd

Fy chwiorydd Nia a Non gyda'r Ford Corsair

gweddill y teulu ma's yn hela'r môr, fe fydde Nhad yn y car yn gwrando ar y radio ac yn gwneud y croesair, gyda fflasg o goffi, yn ei fyd ei hun.

Haf 1968. Bant â ni yn y car i'r cyfandir. Cyn cyrraedd Pont Hafren roedd 'na broblem ar y modur, ac wedi malwodi i Baris, cael cadarnhad gan beiriannydd y bydde'r enjin yn ffrwydro taen ni'n cario mlaen. '*Kaput!*' oedd ei union air. Penderfyniad fy nhad oedd bwrw mlaen i Barcelona! A'r ffan mlaen ar ei eitha yng nghanol gwres yr haf, pob ffenest led y pen ar agor, a phen rhywun drwy bob un, fe gyrhaeddon ni Sbaen bum stôn yn sgafnach.

Yna, yr atgof poenus o orfod, fel teulu, cadw llygad allan am liw'r tocyn wrth gyrraedd tollborth y cob ym Mhorthmadog – cyn iddo edrych yn ei lyfrgell o hen docynnau yng nghefn y *sun visor* i weld a oedd un yn matsho er mwyn rhoi'r argraff 'i fod e eisoes wedi talu. Mab i sosialydd. Rwy'n credu oedd drama'r sefyllfa yn rhoi cryn bleser iddo. O'i atgoffa o'r digwyddiadau hyn, fe fyddai'n chwerthin a chwerthin.

Beth sy'n rhyfedd, gan ei fod yn ddyn mor allblyg, yw ein bod ni'r plant yn gwybod dim amdano. Doedd e byth yn adrodd ei hanes i ni. Oedd e'n wahanol o flaen cynulleidfa. Ar ei draed llynedd mewn cinio a gynhaliwyd i ddathlu ei gyfraniad i Gerdd Dant, fe wedodd nad oedd y doctor a ddaeth ag e mewn i'r byd yn disgwyl iddo fyw'n hir, gan ei fod e mor wan. Dyna oedd y tro cynta i 'run ohonon

ni'r plant glywed y stori. Nid cwyn yw'r ysgrif yma, gyda llaw, am rywbeth na chawsom. Mae pa bynnag odrwydd sydd ynddon ni wedi dod wrtho fe, a diolch amdano fe.

Gofynnodd yr ymgymerwr sut licen ni iddo fe gael ei wisgo yn yr arch. Mewn amdo yr aeth e i'w wobor, ond rwy'n dyfaru na wnes i ddweud 'cardigan, shorts, socs a sandals'.

Bywyd mewn bees   Medi 2016

Mae'r broses hir o chwynnu drwy faterion a phapurau fy nhad wedi dod i ben. Dim ond nawr ry'n ni'n sylweddoli pa mor drefnus oedd e. Beth y'n ni *ddim* yn deall yw pam oedd rhaid cadw'r holl bapurau. Mae pobol sy'n trin traed yn dweud bod posib adnabod person yn llwyr, bron, yn ôl stad ei draed. Wel, dyma oedd ôl troed fy nhad ar wyneb daear.

Fe gadwodd bob *receipt* am bob car a brynodd e erioed, o'r Hillman Minx o Aberteifi (1962), drwy gyfres o Fords sychedig, ambell i Beugeot cynnar yn y 60au, y Marina a'r Datsun o'r 70au hyd at y Toyota yn 2012. Pob un. Carden penblwydd ddanfonodd ei dad at ei fam, tomennydd o daflenni angladdol a

min y rhewfynydd oedd hynny, allech chi ddweud. Roedd casgliad fy nhad yn fwy o rewlif.

Holl fywyd dyn ar bapur mewn bocs. Yn golygu fawr ddim i neb ond iddo fe'i hun, ac erbyn hyn yn llenwi bins ailgylchu. Peidiwch â meddwl ein bod ni'n galon galed – ry'n ni wedi cadw ambell beth, ond fe gafodd gyfle rhwydd i waredu lot o'r papurau yma pan fu iddo symud tŷ, wedi marwolaeth Mam. Mae'n siŵr ei fod angen yr atgofion hyn hyd yn oed yn fwy bryd hynny, ac fe ddaeth y *filing cabinet* yn gyfan, heb 'i agor, i'r de gydag e. Mae twrio drwy'r holl ddogfennau yma wedi bod yn broses ddiddorol, a thrist. Mae e hefyd wedi bod yn gyfle i lenwi bylchau; dod i nabod rhywun yn well drwy'r hyn oedd yn bwysig iddo.

theyrngedau, rhestr o enillwyr cystadlaethau mawr pob Eisteddfod ers 1936, lluniau o'i gatrawd yn Aldershot yn ystod y rhyfel (gydag enwau tri chwarter o'r rheiny oedd yn y llun ar y cefn), a'r testament gafodd gan y capel wrth ymuno â'r fyddin. Albyms dirifedi o luniau gwyliau ymhobman, o'r Aifft ac Israel i Las Vegas a'r Wladfa. Cardiau ffeil yn ei sgrifen ei hun, gyda doethinebau arnyn nhw. Mewn un ffeil, tystysgrifau canu enillwyd pan oedd e'n unarddeg. (Cafodd wersi canu gan fenyw o'r enw Perdones Margam – enw barddol – dim gair o Gymraeg ganddi, ond a oedd hefyd yn dysgu *troupe* o ferched ifanc o'r enw The Perdonnes). Dim ond

Genhedlaeth ynghynt roedd y 'bocs' yr un mor bwysig. Roedd perthynas Mam-gu â'i rhieni yn un arw am amryw o resymau, ac fe fu farw ei mam cyn ei thad. Mi oedd e, yn ei waeledd, yn gorfod rhannu ei amser rhwng y merched, Katie Olwen (fy mam-gu) ac Edith, ei chwaer. Doedd e ddim yn drefniant hwylus, a bu lot o gwympo ma's, ond gwyddai pawb pan oedd e ar dramp o un ferch i'r llall – roedd e'n cario'i focs dan ei fraich. 'Katie!' galwodd fy nhat-cu wrth 'i weld e'n agosáu lawr y llwybr, 'fydde well i ti roi plât arall ma's ... ma' dy dad yn dod, ac mae 'i focs e dan 'i fraich.' Arwydd sicr 'i fod e'n dod i aros – wel, tan iddo gwympo ma's 'da nhw. Beth oedd yn y bocs? gofynnais. 'Rybish' oedd ateb mam-gu. 'Pishes o bapur.' Roedd fy mam-gu yn dechnegol ddall – aeth siec waith gynta 'Nhad gan y BBC i'r tân achos doedd hi ddim yn gwybod beth oedd e.

Ond nid dyna'r rheswm pam roedd hi'n wfftio cynnwys bocs ei thad. Rybish *oedd* e iddi hi. Iddo fe, roedd e'n bopeth. Wedi dweud ar y dechrau bo' ni ddim yn deall pam gadwodd fy nhad yr holl fanylion yna, rwy wedi sylweddoli bod ein hatig ni yn orlawn o'r un math o bapurach. Pan symudon ni o Gaerdydd i Landeilo bron i ugain mlynedd yn ôl, rwy'n cofio sefyll yn yr hewl ym Mhontcanna a meddwl bod fy mywyd i gyd hyd at y pwynt yna ond yn llenwi fan Box Transit. Roedd y rhan fwyaf o gynnwys y fan yn gelfi, wrth gwrs, ond roedd 'na focsys llawn papur o ryw fath. Ac yn wahanol i'r hyn a ddywed y wraig, ma' pob un ohonyn nhw'n atgof o rywbeth, neu ryw ddigwyddiad. Alla i ddim wynebu eu gwaredu nhw, rywffordd, ond rwy'n gwybod y bydd 'na gythrel o goelcerth yn yr ardd ar ôl i mi fynd.

Y teulu cyn i Non gael ei geni

Oes mwy? Er mwyn y nefoedd faint o Albyms sydd eisiau ar ddyn?

Mehefin 2016

Malta '95, Avila, Segovia '02, Ffrainc '79, Nerja '96, gogledd Sbaen '02, Tenerife '03, Bangkok '04. Un arall wedyn: Florence, Elba, Pisa, Costa del Sol, Madeira, Twrci, Groeg. Nice, Israel, De'r Affrig, Hoover Dam, Las Vegas, San Fransisco oedd un arall. Ac yna Tunisia, Llydaw, Mallorca, Riva Del Garda, Verona, Venice, Ariannin, Brazil ... ac yn y blaen. Pob taith wedi'i chofnodi; y lle a'r dyddiad. Oedd, fe oedd fy nhad yn deithiwr heb ei ail. Gadawodd rai cannoedd o luniau i brofi hynny. Bu'n teithio llawer gyda Mam, wrth gwrs, wedi i'r ddau ohonyn nhw ymddeol, ond gwnaeth gryn dipyn ar ei ben ei hun ar ôl iddi farw. Wedi dweud hynny, doedd e ddim ar 'i ben ei hun yn hir. Fel mae'r lluniau'n tystiolaethu, dyw e byth yn bell o fraich merch 'ifanc' (neu'n hytrach, merch iau nag e). Ar y bont yn Avila, o dan ffigwr Crist yn Rio, ac yn y blaen. Roedd fy nhad yn hoff o gwmni merched. Bu pryder, pan aeth i Wlad Thai ar ben ei hun dros y Nadolig yn 2004, y bydde'n dychwelyd, gyda *Thai bride* neu (Duw a'n gwaredo) *Ladyboy*. Pawb at y peth y bo, ond y peth

diwetha roedd pob un ohonon ni am ei glywed yn ei ewyllys oedd '... you are aware that your father had a lovechild in Phuket ...?' Drwy lwc, ddigwyddodd hynny ddim. Ond ymhlith y lluniau di-ben-draw o eglwysi, traethau, mynyddoedd, baneri yn cyhwfan ac yn y blaen, mae lluniau o'n rhieni yn mwynhau. Mam yn arbennig.

Does dim un llun o Mam pan nad yw hi'n gwenu. Mae Nhad yn fwy synfyfyrgar, yn darllen neu wneud pos croesair ar y Croisette, neu mewn caffi yn astudio bwydlen, ond mae Mam yn wên o glust i glust: yn dod allan o'r môr yn Antalya, ar *sun lounger* yn Ninas Dinlle neu'r Môr Coch, yr un yw'r wên. Wedyn y lluniau o enedigaeth ein plant, ddiwrnodau wedi'r geni. Y ddau yn eu tro'n anwesu'r babi, ac amryw bartïon pen-blwydd gyda Mam-gu ac 'Al' (doedd fy nhad ddim yn hoff o'r enw Dat-cu).

Yn sydyn, dim ond Al. Mae'r lluniau nesa ar yr olwg gynta yn rhai digon cyffredin. Lluniau o'r ardd gefn ym Mangor. Doedd fawr o ardd gyda ni ym Mangor, a hynny o ardd oedd yno, Mam oedd yn gyfrifol amdani. Allech chi ddim llusgo Nhad i'r ardd dros ei grogi. Ac eto dyma lle roedd e, yn edrych ar yr ardd, a phenawdau fel 'blodau cynta'r gwanwyn 2000' a 'rhosyn cynta'r haf' ar y lluniau. Sylweddolais mai dyna oedd ei ffordd o geisio cadw ei wraig yn fyw – drwy'r blodau a blannwyd ganddi. Wrth glirio tŷ Nhad, a hwnnw wedi bod yn wag am bum mis tra oedd e yn yr ysbyty, fe sylwes i ar gactws ar silff ffenest y gegin wedi'i bobi'n golsyn druan. O'n i'n adnabod y planhigyn a'r potyn fel yr un a fu ar silff ffenest ein cartre teuluol ym Mangor am ddegawdau. 'Tafla fe,' meddai fy chwaer, 'Ma' fe 'di marw.'

Yn y saithdegau dechreuodd Mam dyfu cactws *aloe vera*. Mae iddo rinweddau llesol, yn enwedig ar gyfer llosgiadau. Gafon ni i gyd bobo un. Roedd e'n dipyn

Fy nhad, Taith Patagonia, yn Iguaza, 2001

setlo am yr 'ychydig' roedd e'n dal i'w gofio.

Gwrddes i â neb erioed oedd â chymaint i'w ddweud am bob agwedd o fywyd. Yn gwmni gwych, ac yn doreithiog ei wybodaeth. Doedd manion fel ffasiwn neu lendid ddim yn bwysig iddo. Fe fynnai wisgo hen gotiau yn faw i gyd, a siwmperi yn fwsog a gwair fel 'tae'r ddaear yn tyfu drwyddynt, ond wedyn doedd e ddim yn ddyn confensiynol, nac wedi cael magwraeth gonfensiynol chwaith. Yn ei lencyndod fe âi ar ei feic i'r cyfandir gyda sêl bendith ei fam, a phan fyddai ei arian yn mynd yn brin, ym mherfeddion y cyfandir yn rhywle, byddai'n galw mewn i'r llysgenhadaeth Brydeinig agosa er mwyn benthyg arian i ddychwelyd, arian y byddai ei fam yn fwy na pharod i'w dalu'n ôl. Tra oedden ni'n ffilmio'r gyfres deledu o'i lyfr *Can Lle*, a luniwyd ar y cyd gyda'r ffotograffydd Marian Delyth, fe ges i sedd flaen yn narlith ddifyrraf fy mywyd, gan y darlithydd difyrraf. Pob diwrnod yn ddiléit o'r newydd. Cefais addysg un i un am bethau na wyddwn am fy ngwlad fy hun (bod ongl twr cam Castell Caerffili dair gwaith cyn waethed â thwr Pisa – dyna un ohonyn nhw). Ers y profiad bythgofiadwy hwnnw, rwy wedi llusgo fy nheulu i amryw

o jôc, a dweud y gwir; ymgais rhiant i fod yn warchodol o bellter. Roedd y colsyn yma yn nhŷ fy nhad yn un o'r rheini. Bosib mai hwn oedd gwreiddyn y gweddill. Eu mam nhw oll. Wnes i ddim 'i daflu e, a farwodd e ddim. Fe adfywiodd. Mae e nawr yn tyfu ar fy silff ffenest i.

'Mae'n flin gen i 'mod i'n hwyr ...'

Chwefror 2015

Fe wedodd John Davies wrtha i ychydig yn ôl, 'Dyw fy nghof i ddim cystal ag y buodd e'. Os oedd hynny'n wir, dim ond fe oedd yn ymwybodol o hynny. Mi fysen i wedi o'r mannau yn y llyfr, ac wedi ceisio pasio'r wybodaeth ymlaen.

Ddydd Sadwrn, yn ddiarwybod i mi, tra oedd John yn ddifrifol wael yn yr ysbyty, fe es i gyda Rhian o gwmpas Caerwent, fy hoff 'gan lle', a cheisio rhoi i Rhian y wefr honno ges i ganddo fe, ond yn sicr heb fod mor gywir, cryno, na chynhwysfawr.

Er mor llwyddiannus oedd y gyfres, mae'n deg dweud nad dyn teledu oedd John. 'Wy ddim yn meddwl ei fod e'n berchen ar un. Roedd ceisio ffilmio cant o lefydd gwahanol, mewn bach iawn o amser, yn cymryd cryn dipyn o drefn. Awr i ffilmio hwn, awr fan acw, ac yn y blaen. Doedd gan John fawr ddim diddordeb yn y math yna o drefn. Rwy'n cofio un achlysur ar lan afon Hafren ger Trefaldwyn, a finnau a phawb o'r criw wedi cyrraedd i sôn am y rhyd yn yr afon lle rhoddwyd y teitl Tywysog Cymru i Lywelyn gan Harri III. Yn ôl yr arwydd uniaith Saesneg, roedden ni yn 'Ford at Rhydwhyman, Warrington anglers assoc.' – ond doedd dim golwg o John, er ein bod ni i gyd wedi gadael mewn confoi o'r Trallwng. Neidio mewn i'r car ac i Drefaldwyn rhag ofn bod John wedi camddeall, a phawb yn dechrau tynnu'u gwalltie ma's. 'Nôl i'r Trallwng ar hyd hewl arall rhag ofn ei fod e wedi torri i lawr yn y Panda du. Dim golwg ohono. Fe gyrhaeddodd yn y pen draw, rhyw awr yn hwyr. 'Mae'n flin gen i 'mod i'n hwyr ...' (doedd e byth yn hwyr yn fwriadol) cyn crisialu popeth oedd werth ei wybod, ar y pwnc hwnnw a mwy, mewn cwpwl o frawddegau coeth. Fe ddiflannodd awr o rwystredigaeth mewn eiliadau. 'Wy ddim yn credu y bu'n rhaid i ni ail-wneud unrhyw gyfraniad. Perffaith, difyr a doniol bob tro.

Nawr ei fod wedi marw fe fydd yna alaru. Sy'n ymateb cywir a chwbwl naturiol. Roedd e'n falch iawn o'i deulu, a nhw sy'n mynd i brofi'r golled fwyaf. I'r gweddill ohonon ni, mae'n rhaid i ni fod yn wyliadwrus ein bod ni ddim yn ymgolli yn y niwl o alaru wrth sôn am y golled, a'r bwlch a fydd ar ei ôl. Fe agorodd John ddrws i ni, ac er mor ddiymhongar oedd e, rwy'n credu y bydde fe'n falch 'taen ni'n cerdded drwyddo. Byddai'n bechod anfaddeuol i ni ganiatáu iddo gau yn glep.

Gan fy mod i wedi gyrru colofn yr wythnos ddiwetha cyn clywed am ei farwolaeth, mae hwn yn gyfle i mi ddweud wrtho fe: 'Mae'n flin gen i 'mod i'n hwyr.'

'Have I offended you?' Rhagfyr 2016

Yn ystod yr wythnos fe fues i yn angladd cymydog i ni. Ro'n ni wedi bod yn gymdogion am bron i ugain mlynedd, ond allen ni ddim bod yn bobol mwy gwahanol. Roedd hi'n Saesnes ronc, ac wedi dod â'i Seisnigrwydd gyda hi yn gyfan, yn Shakespearean Theme Evenings, Friends of the Library, y cyfan oll. Yn byw mewn tŷ a arferai fod yn dafarn o eiddo Twm o'r Nant. Dim gair o Gymraeg ganddi, ac fe allai fod yn ddychrynllyd o *rude*. Nid dim ond i ni, ond i bawb, gan gynnwys ei ffrindiau. Fe lewygodd un gŵr yn un o'i *house parties*. Mewn ymateb a fyddai'n deilwng o Groucho Marx, yn hytrach na phryderu am ei gyflwr, fe feiodd hi e am ddifetha'r parti. Fe fydda i yn 'i cholli hi.

Fe ofynnais iddi unwaith beth oedd ei gwaith hi. 'I'm a linguist,' meddai, ac eto mewn man lle gallai fod wedi boddi mewn Cymreictod, doedd ganddi ddim cymaint â chomma o Gymraeg – dim digon hyd yn oed i ymateb i'r mab (pan oedd yn deirblwydd) a ofynnodd iddi, 'Siwt wyt ti, Elizabeth?' 'What did he say?' Ac eto mae'n chwith ar ei hôl hi.

Mae 'na Gymry Cymraeg yn byw yn ei

thŷ hi nawr, a thrwy ryfedd wyrth, pobol ro'n i'n gyfarwydd â nhw rai blynyddoedd yn ôl. Mae'n stryd fach bitw ni yn fwy Cymreig, o safbwynt iaith, ers i ni symud yma ugain mlynedd yn ôl, ac mae hynny'n beth pleserus iawn. Ond mae'n rhyfedd meddwl nad yw hi bellach gyda ni.

Dyn ffôl sy ddim yn ceisio dod 'mlaen â'i gymdogion, yn enwedig rhai sydd yn rhannu'r un simne ac, ar fwy nag un achlysur, yr un mwg. Ond wrth iddi heneiddio fe siriolodd gryn dipyn. Fe ffindion ni hi ar lawr yn yr iard gefn un haf, wedi bod yno drwy'r nos ar ôl iddi gwympo a methu codi. Er gwaetha'i sefyllfa, chwerthin oedd hi – a chanmol ei lwc 'i fod e heb ddigwydd yn ystod y gaeaf, neu fe fyddai wedi bod fel lolipop! Yn ei hymdrech i aros yn ei chartre, fe gwympai yn gyson. Yn aml bydden ni'n dychwelyd adre i gwrdd ag ambiwlans yn y stryd, ac Elizabeth yng nghanol y nyrsys yn rhannu jôc ac yn cynnig te, a gwaeth, iddyn nhw, er na allai godi. Fe holes i sawl gwaith ai dim ond cwympo i gael sylw oedd hi. Roedd hi'n mwynhau sylw cymaint – ac yn ei henaint, heb y gallu i fynd allan i gyfarfod â phobol, yn llwyr ddibynnol ar bobol i ddod ati hi (y rhai roedd hi heb bechu yn eu herbyn, hynny yw). Felly roedd ei drws hi wastad yn agored, a photel o win coch ar agor; ac roedd hi'n barod i drafod unrhyw beth. Doedd fiw ichi fynd yno yn groendenau, ond oedd hi'n parchu m'bach o stamp. Fe fyddai'r sgwrs nesa yn dechrau, 'Have I offended you?' Lle y'ch chi am i ni ddechrau?

Fel amryw o bobol o'r oedran yna, roedd hi'n teimlo y gallai ddweud unrhyw beth, a mwynhau, i ryw radde, yr effaith roedd hynny'n gael ar bobol eraill. Ar gefn taflen ei hangladd roedd cerdd o waith Jenny Joseph o'r enw 'When I am Old', ac ynddi restr o'r holl bethau y teimlai fod ganddi'r hawl i'w gwneud, yn rhydd o gyffion parchusrwydd. Ac yn fy henaint cymharol, rwy'n teimlo'r un grym. Fe ffindies i fy hun yn y Co-op ddydd Llun yn fy slipers! A doedd dim tamaid o ots gen i chwaith. Ond megis dechrau llithro i lawr y llethr hwnnw i haerllugrwydd llwyr ydw i. Thank you, Elizabeth.